CUISSON DU POISSON

2 en 1

+100 délicieuses recettes de
fruits de mer simples

Johan Arnaud, Adriana Lacroix

Tous les droits sont réservés.

Avertissement

Les informations contenues dans i sont destinées à servir de collection complète de stratégies sur lesquelles l'auteur de cet eBook a effectué des recherches. Les résumés, stratégies, trucs et astuces ne sont que des recommandations de l'auteur, et la lecture de cet eBook ne garantira pas que les résultats refléteront exactement les résultats de l'auteur. L'auteur de l'eBook a fait tous les efforts raisonnables pour fournir des informations actuelles et exactes aux lecteurs de l'eBook. L'auteur et ses associés ne seront pas tenus responsables de toute erreur ou omission involontaire qui pourrait être trouvée. Le contenu de l'eBook peut inclure des informations provenant de tiers. Les documents de tiers comprennent les opinions exprimées par leurs propriétaires. En tant que tel, l'auteur de l'eBook n'assume aucune responsabilité pour tout matériel ou avis de tiers.

Sommario

Livre de recettes pour la cuisson du poisson

+50 délicieuses recettes de fruits de mer simples

Johan Arnaud

Tous les droits sont réservés.

Avertissement

Les informations contenues dans i sont destinées à servir de collection complète de stratégies sur lesquelles l'auteur de cet eBook a effectué des recherches. Les résumés, stratégies, trucs et astuces ne sont que des recommandations de l'auteur, et la lecture de cet eBook ne garantira pas que les résultats refléteront exactement les résultats de l'auteur. L'auteur de l'eBook a fait tous les efforts raisonnables pour fournir des informations actuelles et exactes aux lecteurs de l'eBook. L'auteur et ses associés ne seront pas tenus responsables de toute erreur ou omission involontaire qui pourrait être trouvée. Le contenu de l'eBook peut inclure des informations provenant de tiers. Les documents de tiers comprennent les opinions exprimées par leurs propriétaires. En tant que tel, l'auteur de l'eBook n'assume aucune responsabilité pour tout matériel ou avis de tiers.

INTRODUCTION

Un régime pescatarian est un régime végétarien flexible qui comprend du poisson et d'autres fruits de mer. Lorsque vous ajoutez du poisson à un régime végétarien, vous bénéficiez des avantages suivants:

Les protéines de poisson augmentent la satiété par rapport au bœuf et au poulet. Cela signifie que vous vous sentirez rassasié rapidement et ne mangerez pas trop. Si vous cherchez à perdre quelques kilos, c'est le bon moment pour commencer à suivre un régime pescatarian.

Le calcium est extrêmement important pour la santé de vos os. Le simple fait de manger des légumes ne fournit pas suffisamment de calcium à votre corps. Mais ajouter du poisson à un régime végétarien

Les poissons gras sont d'excellentes sources d'acides gras oméga-3. Ces acides aident à réduire l'inflammation dans le corps, ce qui, à son tour, réduit le risque d'obésité, de diabète et de maladie cardiaque.

Par rapport à d'autres protéines animales, la consommation de poisson contribue moins aux émissions de gaz à effet de serre. Ainsi, vous pouvez protéger l'environnement et votre santé.

Pour certains, manger des légumes, des fruits et des noix peut être ennuyeux. L'ajout de poisson ou de tout autre fruit de mer contribue à améliorer le goût et l'ambiance générale du déjeuner et / ou du dîner.

De nombreuses personnes sont allergiques aux œufs, intolérantes au lactose ou souhaitent éviter de manger de la viande ou des produits laitiers. Pour eux, le poisson peut être une bonne source de protéines complètes, de calcium et de graisses saines.

QUE MANGEENT LES PESCATARIENS?

FRUITS DE MER: Maquereau, bar, aiglefin, saumon, thon, Hilsa, sardines, pomfret, carpes, morue, caviar, moules, écrevisses, huîtres, crevettes, homard, crabe, calamars et pétoncles.

LÉGUMES: épinards, blettes, radis, carottes, bengale, betterave, carotte, brocoli, chou-fleur, chou, chou chinois, patate douce, radis, navet, panais, chou frisé, concombre et tomate.

FRUITS: Pomme, banane, avocat, fraises, mûres, mûres, myrtilles, groseilles à maquereau, ananas, papaye, fruit du dragon, fruit de la passion, pastèque, melon d'eau, goyave, pêche, poire, pluot, prune et mangue.

PROTÉINES: haricots rouges, lentilles, poisson, champignon, gramme du Bengale, germes, pois aux yeux noirs, niébé, pois chiches, soja, lait de soja, edamame et tofu.

GRAINS ENTIERS: Riz brun, orge, blé concassé, sorgho, pain multigrains et farine multigrains.

GRAISSES ET HUILES: Huile d'olive, huile d'avocat, huile de poisson, ghee, beurre de tournesol et huile de son de riz.

Graines de noix   Amandes,   noix,   pistaches, macadamia, pignons de pin, noisettes, graines de tournesol, graines de melon, graines de citrouille, graines de chia et graines de lin.

Herbes et épices   Coriandre, aneth, fenouil, persil, origan, thym, feuille de laurier, flocons de piment, poudre de chili, poudre de piment rouge du Cachemire, curcuma, coriandre, cumin, graines de moutarde, moutarde anglaise, pâte de moutarde, anis étoilé, safran, cardamome, clou de girofle, ail, cannelle, gingembre, macis, muscade, piment de la Jamaïque, oignon en poudre, ail en poudre et gingembre en poudre.

BOISSONS: Eau, eau de coco, eau détox et jus de fruits / légumes fraîchement pressés.

Avec ces ingrédients, vous pouvez facilement élaborer un régime alimentaire équilibré sur le plan nutritionnel. Jetez un œil à cet exemple de plan de régime pescatarian.

GÂTEAUX DE POISSON FUMÉ À LA CROÛTE NASTURTIUM

Portions: 12

INGRÉDIENTS

- 500g de morue fumée non colorée
- 2 tasses (500 ml) de lait
- 1 feuille de laurier
- 1 cuillère à soupe d'huile de tournesol, plus un supplément pour faire frire
- 1 oignon, haché finement
- 1 gousse d'ail finement hachée
- 500g de pommes de terre Pontiac ou Desiree, pelées, coupées en quartiers

- 30g de beurre non salé
- 2 œufs légèrement battus
- 1 jaune d'oeuf, en plus
- 20 fleurs et feuilles de capucine
- 2 tasses (100 g) de chapelure panko
- 1 1/4 tasse (100 g) de parmesan râpé
- 2 tasses (300 g) de farine ordinaire, assaisonnée
- 1 tasse (300 g) de mayonnaise aux œufs entiers
- 2 cuillères à soupe de jus de citron

PRÉPARATION

1. Placer le poisson, côté chair vers le bas, dans une grande poêle avec le lait et le laurier, et pocher 6 minutes ou jusqu'à ce qu'il soit tendre à feu moyen-doux. Retirer la feuille de laurier et filtrer dans une tasse en réservant le liquide de pochage. Supprimer de l'équation.

2. Pendant ce temps, faites chauffer l'huile dans une poêle à feu moyen et faites cuire l'oignon et l'ail jusqu'à ce qu'ils soient tendres, environ 1 à 2 minutes.

3. Porter à ébullition une casserole d'eau salée froide à feu moyen-vif avec la pomme de terre dedans. Cuire 12 minutes ou jusqu'à ce que les légumes soient tendres. Égoutter, puis écraser avec du beurre et juste assez du liquide de pochage du poisson réservé pour humidifier le mélange tout en le gardant ferme. Assaisonner de sel et de poivre, puis ajouter le mélange d'oignon et le jaune d'oeuf. Émiettez le poisson et ajoutez-le au mélange de

pommes de terre, en jetant la peau et les os. Faire 12 galettes du mélange.

4. Réserver 10 fleurs de capucine pour la salade, puis déchirer le reste en petits morceaux et mélanger avec de la chapelure (ou mélanger brièvement les fleurs et la chapelure dans un petit robot culinaire). Incorporer le parmesan jusqu'à ce qu'il soit bien mélangé.

5. Enrober les galettes de poisson dans la farine assaisonnée, secouer l'excédent, puis dans l'œuf battu, suivi du mélange de chapelure. Pour raffermir, détendez-vous pendant 15 minutes.

6. Pendant ce temps, préparez une vinaigrette avec de la mayonnaise, du jus de citron et un peu d'eau tiède. Dans une tasse, mélanger les feuilles de capucine et les fleurs réservées. Supprimer de l'équation.

7. Versez la moitié de l'huile dans une friteuse ou une grande casserole et faites chauffer à 190 ° C (un cube de pain deviendra doré en 30 secondes lorsque l'huile sera suffisamment chaude). Faites frire les galettes de poisson par lots pendant 1 1/2 minutes ou jusqu'à ce qu'elles soient dorées. Égoutter sur du papier absorbant et garder au chaud jusqu'à ce que le reste des galettes de poisson soit prêt.

8. Pour arroser, servir des galettes de poisson chaudes avec une salade de capucine et de la mayonnaise au citron.

COLIS DE POISSON TERIYAKI

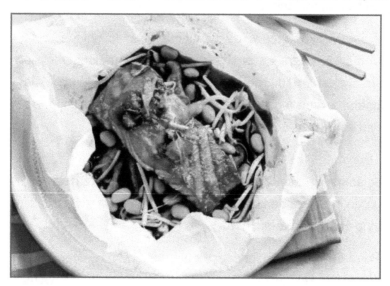

Portions: 4

INGRÉDIENTS

- 2 cuillères à soupe de mirin
- 2 cuillères à soupe de saké
- 1/4 tasse (60 ml) de sauce soja foncée
- 2 cuillères à café de miel
- 4 cm de gingembre râpé
- 4 x 150g de filets de ling (ou autres filets de poisson blanc ferme)
- 200g de champignons shiitake, tranchés
- 200g d'edamames en gousses surgelés, sans peau
- 2/3 tasse (25 g) de germes de soja
- Feuilles de coriandre, pour servir

PRÉPARATION

Dans un bol à mélanger, mélanger le mirin, le saké, le soja, le miel et le gingembre; verser sur le poisson et laisser mariner 30 minutes.

Préchauffer un barbecue à feu vif (avec un couvercle) ou un four à 225 ° C. Retirer le poisson de la marinade et réserver 1/3 tasse (80 ml). Placez deux carrés de papier d'aluminium de 50 cm l'un sur l'autre pour chaque colis, puis un carré de papier sulfurisé de 50 cm par-dessus. Pour faire une tasse, pliez les extrémités du papier d'aluminium sur le papier. Au centre de chaque tasse, mettez un morceau de poisson, parsemez de champignons et arrosez avec 1 cuillère à soupe de la marinade réservée. Pour faire un colis, rassemblez les extrémités du papier sulfurisé et du papier d'aluminium. Placer sur une grille de barbecue et fermer le couvercle, ou cuire au four pendant 15 minutes ou jusqu'à cuisson complète au four.

Pendant ce temps, mettez les edamames dans un bol, couvrez d'eau bouillante et laissez tremper 5 minutes. Égouttez l'eau.

4.Pour manger, parsemer d'edamame, de germes de soja et de feuilles de coriandre sur la truite.

FISHCAKES DE TRUITE FUMÉE AVEC SALADE DE PEA ET CRESSES D'EAU

Portions: 4

INGRÉDIENTS

- 800g de pommes de terre Desiree, pelées, hachées
- Le zeste finement râpé et le jus d'un citron, plus des quartiers supplémentaires à servir
- 1/4 tasse de ciboulette hachée, plus un supplément pour servir

- 300g de truite de mer fumée, hachée grossièrement
- 200g de crème fraîche
- 2 œufs, légèrement battus avec 1 cuillère à soupe d'eau
- 1/2 tasse (50 g) de chapelure séchée
- Huile d'olive, pour frire peu profonde, plus extra pour arroser
- 1 cuillère à café de moutarde de Dijon
- 1 cuillère à soupe de vinaigre de cidre de pomme
- 1 tasse (160 g) de pois frais
- 1 bouquet de cresson

PRÉPARATION

Dans une grande casserole d'eau froide salée, mettez les pommes de terre. Porter à ébullition, puis réduire à feu moyen-vif et cuire de 15 à 20 minutes ou jusqu'à ce que les légumes soient tendres. Remettre dans la casserole après égouttage. Chauffer pendant 30 secondes, en remuant continuellement, pour éliminer tout excès d'eau. Laisser refroidir légèrement avant de broyer grossièrement.

Dans un bol, mélanger le zeste de citron, la ciboulette, la truite de mer et 2 cuillères à soupe de crème fraîche.

3.Salez et poivrez au goût, puis couvrez et laissez refroidir pendant 15 minutes.

4.Faites 12 boules du mélange et aplatissez légèrement pour obtenir des galettes de 3 cm d'épaisseur. Rouler dans la chapelure après avoir recouvert de la crème d'œuf.

Faites chauffer 2 cm d'huile dans une poêle à feu moyen et faites frire les galettes de poisson par lots pendant 1 1/2 minutes de chaque côté ou jusqu'à ce qu'elles soient dorées et croustillantes. À l'aide d'une serviette en papier, absorber l'excès de liquide et garder au chaud.

6.Dans une autre tasse, fouetter ensemble la moutarde de Dijon, le vinaigre de cidre de pomme et le reste de la crème fraîche, assaisonner au goût et réserver. Dans un plat à mélanger, mélanger les pois et le cresson. Assaisonner de sel et de poivre après avoir arrosé de jus de citron et d'huile d'olive.

7.Servir les galettes de poisson avec la salade, la sauce crème fraîche, les quartiers de citron et la ciboulette supplémentaire sur le côté.

TARTE AU POISSON THAÏLANDAIS

S

Portions: 4

INGRÉDIENTS

- 400 ml de lait de coco
- 1 tige de citronnelle (noyau interne uniquement)
- 2 gousses d'ail, hachées finement
- Morceau de gingembre de 2 cm, râpé
- 2 cuillères à café de sucre de palme râpé
- 1 long piment rouge, épépiné, haché
- 2 cuillères à café de sauce de poisson
- Jus de 1/2 citron vert
- 4 feuilles de lime kaffir, 2 râpées

- 2 cuillères à soupe de pâte de curry vert
- 1,2 kg de pommes de terre Pontiac, hachées grossièrement
- 80 g de beurre non salé, plus un supplément à dot
- 1/4 tasse (60 ml) de lait
- 250g de filets de lingue sans peau, hachés
- 250g de filets de saumon sans peau, hachés
- 16 crevettes vertes, pelées, déveinées
- 1 tasse (120 g) de pois surgelés, décongelés
- 2 cuillères à soupe de feuilles de coriandre finement hachées

PRÉPARATION

Préchauffez le four à 180 degrés Celsius.

Dans une casserole moyenne, ajoutez le lait de coco, la citronnelle, l'ail, le gingembre, le sucre, le piment, la sauce de poisson, le jus de lime, les feuilles de lime kaffir et la pâte de curry. Porter à ébullition douce, en remuant de temps en temps, puis laisser infuser 10 minutes.

3.Placez la pomme de terre dans une casserole d'eau froide salée à feu vif pendant ce temps. Porter à ébullition, puis réduire à feu doux et cuire 12 minutes ou jusqu'à ce que les légumes soient tendres. Égoutter et écraser les pommes de terre, puis ajouter le beurre et le lait, assaisonner de sel et de poivre et battre avec une cuillère en bois jusqu'à consistance lisse et mousseuse.

Dans un plat allant au four de 1,2 L, mélanger le thon, les crevettes et les petits pois. Retirer et jeter la citronnelle et les feuilles de lime entières de la sauce.

Versez sur les fruits de mer après avoir appliqué la coriandre.

5. Ajoutez du beurre supplémentaire et garnissez de purée de pommes de terre en ratissant la surface avec une fourchette.

6.Cuire au four de 25 à 30 minutes ou jusqu'à ce que le dessus soit doré et que les fruits de mer soient cuits.

Ragoût de poisson à la française

S

Portions: 6

INGRÉDIENTS

- 1/4 tasse (60 ml) d'huile d'olive
- 6 grosses crevettes vertes, pelées (queues intactes), déveinées, coquilles réservées
- 150 ml de vin blanc
- 200 ml de bouillon de poisson de bonne qualité
- 1 petit bulbe de fenouil, haché finement
- 1 oignon, haché finement
- 3 gousses d'ail, tranchées finement
- 1 pomme de terre desiree, hachée
- Zeste paré d'une orange
- 1 feuille de laurier

- 2 cuillères à café de feuilles de thym hachées
- 1 cuillère à soupe de harissa
- 2 cuillères à soupe de purée de tomates
- 400g de tomates hachées
- 12 moules, ébarbées
- 200g de poisson ferme désossé, coupé en morceaux de 3 cm
- 1/2 tasse (150 g) de mayonnaise aux œufs entiers
- 2 cuillères à soupe de persil plat haché
- Baguette, pour servir

PRÉPARATION

Dans une grande poêle, chauffer 1 cuillère à soupe d'huile à feu moyen-vif. Faites frire les coquilles de crevettes jusqu'à ce qu'elles deviennent roses, environ 1 à 2 minutes. Cuire 2-3 minutes ou jusqu'à ce que le vin ait réduit de moitié. Porter le bouillon à ébullition, filtrer et réserver.

Dans une poêle, chauffer les 2 c. À soupe d'huile restantes à feu moyen. Assaisonner de sel et de poivre, puis réduire le feu à doux et ajouter le fenouil, l'oignon et l'ail.

3.Cuire 10 minutes ou jusqu'à ce que les légumes soient ramollis, enveloppés.

Pendant ce temps, cuire la pomme de terre 10 minutes ou jusqu'à ce qu'elle soit presque tendre dans une casserole d'eau bouillante salée, puis égoutter.

5. Mélanger le mélange d'oignon avec le zeste d'orange, le laurier, le thym et la moitié de la harissa. La pomme de terre, la purée de tomate, la tomate en conserve et le bouillon filtré sont ensuite ajoutés. Assaisonner après 10 minutes de mijotage ou jusqu'à ce que légèrement réduit.

6. Porter à ébullition les crevettes, les moules et le poisson pelés. Couvrir et cuire 3 minutes, ou jusqu'à ce que les moules soient ouvertes et que les fruits de mer soient juste cuits.

7.Mélanger la mayonnaise et le reste de la harissa dans un bol à mélanger. Servir le ragoût avec la baguette et la mayonnaise, garnie de persil.

CURRY DE POISSON ROUGE THAÏ AVEC NOUILLES

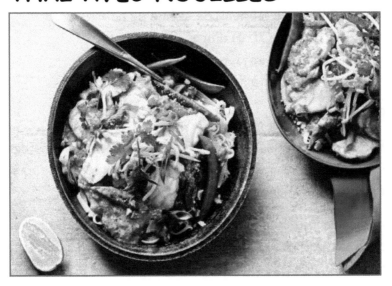

Portions: 4

INGRÉDIENTS

- 200g de nouilles de riz Pad Thai
- 1/4 tasse (60 ml) d'huile d'arachide
- 600g de filets de poisson blanc fermes et désossés (comme la lingue), coupés en tranches de 2 cm d'épaisseur
- 2 gousses d'ail, hachées finement
- 1/2 bouquet d'oignons verts, hachés, parties foncées et pâles séparées
- 1 bouquet de coriandre, feuilles cueillies, racines hachées

- 1/4 tasse (60 ml) de pâte de curry rouge thaï
- 1 cuillère à soupe de sauce de poisson
- 150g de pois mange-tout
- 2/3 tasse (165 ml) de crème de noix de coco
- 1/2 tasse (75 g) d'arachides hachées
- Germes de soja, pour servir
- Quartiers de lime, pour servir

PRÉPARATION

Faites tremper les nouilles pendant 10 minutes dans de l'eau chaude ou jusqu'à ce qu'elles soient tendres, puis égouttez-les. Supprimer de l'équation.

2.Assaisonnez le poisson avec 1 cuillère à soupe d'huile dans un wok à feu vif. La moitié du poisson doit être sautée pendant 2 minutes ou jusqu'à ce qu'elle soit dorée, puis transférée sur un plateau. Répétez avec le poisson restant et 1 cuillère à soupe d'huile.

3.Dans une autre poêle, chauffer 1 cuillère à soupe d'huile restante et ajouter l'ail, l'oignon blanc et la racine de coriandre. Faire sauter pendant 1 à 2 minutes ou jusqu'à ce que les légumes soient ramollis. Incorporer la pâte de curry pendant encore 2 minutes, ou jusqu'à ce qu'elle soit parfumée, puis ajouter la sauce de poisson, les pois mange-tout et 1/4 tasse (60 ml) d'eau, et cuire encore 2 minutes, ou jusqu'à ce que la sauce ait légèrement réduit. Remettre le poisson dans le wok, avec l'oignon de printemps et la crème de noix de coco restants, et mélanger pour mélanger et réchauffer.

4.Mettez le mélange de nouilles dans quatre bols et couvrez avec le curry de poisson. Servir avec des feuilles de coriandre, des arachides, des germes de soja et des quartiers de lime tout de suite.

POISSON NOIR AUX CHIPS DE POMME DE TERRE DOUCE

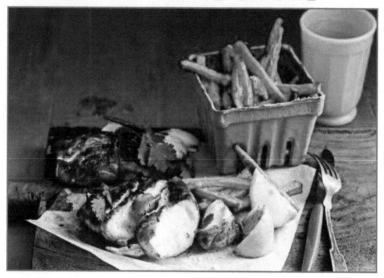

Portions: 4

INGRÉDIENTS

- 4 filets yeux bleus de 180 g, sans peau
- 30g de beurre non salé, fondu
- 2 cuillères à soupe de mélange d'épices cajun
- 1/3 tasse (80 ml) d'huile d'olive
- 800g de patate douce coupée en chips
- 1 1/2 cuillère à café de sucre en poudre
- Aïoli, feuilles de coriandre et quartiers de citron, pour servir

PRÉPARATION

Badigeonner le poisson de beurre, assaisonner de sel et de poivre et saupoudrer du mélange d'épices cajun. Laisser mariner 30 minutes.

Préchauffez le four à 220 ° C. Arrosez les chips avec 1/4 tasse (60 ml) d'huile, puis assaisonnez avec du sel et du sucre. Cuire au four pendant 25 minutes, en tournant à mi-cuisson, ou jusqu'à ce qu'elles soient croustillantes, sur une grille placée au-dessus d'une plaque de cuisson.

3.Dans une autre poêle, chauffer 1 cuillère à soupe d'huile restante à feu moyen-vif. Cuire de 6 à 8 minutes, en retournant une fois, jusqu'à ce que le poisson soit fini. À côté, servez le poisson avec des frites, de l'aïoli, de la coriandre et des quartiers de citron.

FISH BANH MI AVEC LÉGUMES CÉLÉS RAPIDEMENT

Portions: 4

INGRÉDIENTS

- 1 cuillère à café de curcuma moulu
- 2 cuillères à soupe de farine tout usage
- 1/3 tasse (80 ml) de lait
- 2 cuillères à soupe d'aneth frais, haché
- 500g de filets de poisson blanc fermes et désossés (comme les yeux bleus), coupés en morceaux de 2 cm
- 2 cuillères à soupe d'huile de coco
- 1 baguette épaisse, fendue

- 1 concombre libanais, tranché finement
- 1 tasse de coriandre fraîche
- 1 tasse de feuilles de basilic thaï
- 1 citron vert, coupé en deux
- LÉGUMES CÉLÉS RAPIDEMENT
- 1/3 tasse (75 g) de sucre de coco
- 1/3 tasse (80 ml) de vinaigre de riz
- 1 carotte, coupée en allumettes
- 1 petit daikon (radis blanc asiatique), coupé en allumettes

PRÉPARATION

1.Mélanger le sucre et le vinaigre dans une petite casserole à feu doux, en remuant jusqu'à ce que le sucre se dissolve, puis laisser refroidir pour les simples légumes marinés. Réserver encore 30 minutes pour mariner les carottes et le daikon, puis égoutter.

Dans un autre bol, mélanger le curcuma et la farine, puis assaisonner. Dans un autre plat, mélanger le lait et l'aneth. Secouez tout excès de farine après avoir trempé le poisson dans le mélange de lait puis dans le mélange de farine.

3.Dans une poêle de taille moyenne, chauffer l'huile. Faites cuire le poisson par lots pendant 3-4 minutes, en tournant une fois, ou jusqu'à ce qu'il soit doré.

4. Badigeonnez l'intérieur de la baguette d'un peu d'huile de poêle. Placez le thon, le concombre, les légumes marinés, la coriandre et le basilic thaï sur la baguette. Pour servir, pressez le jus de lime sur le dessus.

KINGFISH GUÉRIS AVEC BÉBÉ BÉBÉ PÉLÉ

S

Portions: 4

INGRÉDIENTS

- 1 cuillère à café de grains de poivre noir, de coriandre et de fenouil écrasés
- 1/2 tasse (110g) de faux sel de mer
- 1/2 tasse (110 g) de sucre en poudre
- 1/2 tasse d'aneth haché, plus des brins à servir
- 500g de filet de martin sans peau de qualité sashimi
- 100g de crème sure
- 1/3 tasse (80 ml) de lait

- 2 cuillères à café de jus de citron
- Feuilles de persil plat, pour servir
- BETTERAVE BÉBÉ CÉLÉE
- 1/3 tasse (80 ml) de vinaigre de vin blanc
- 2 feuilles de laurier
- 1 cuillère à café de graines de coriandre
- 2 cuillères à soupe de sucre en poudre
- 3 cuillères à café de jus de citron vert
- 1 bouquet de betteraves rouges crues, pelées, tranchées très finement

PRÉPARATION

Dans un bol, mélanger les épices, le sel, le sucre et l'aneth. Retourner le poisson pour l'enrober de sauce. Réfrigérer pendant 3-4 heures, couvert. Rincez abondamment et séchez en tapotant.

Dans une casserole à feu moyen, mélanger le vinaigre, le laurier, les graines de coriandre, le sucre, 1/3 tasse (80 ml) d'eau et 2 c. À thé de sel pour la betterave. Porter à ébullition, puis éteindre le feu et ajouter le citron vert. Versez le liquide de marinade sur les betteraves dans un plat. Assaisonnez avec du sel et du poivre. Laisser mariner pendant 2 heures. Égouttez l'eau.

Dans un bol à mélanger, mélanger la crème sure, le lait et le jus de citron. C'est le moment de l'année.

4. Trancher finement le poisson et servir avec un assaisonnement arrosé de betterave, d'aneth et de persil.

Truite séchée, salade de fenouil et craquelins de poisson

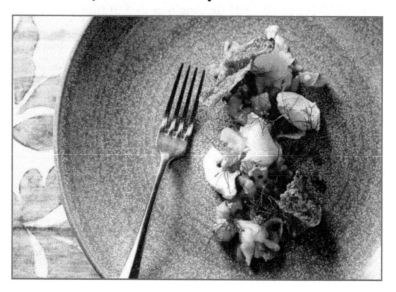

Portions: 4

INGRÉDIENTS

- 500g de truite arc-en-ciel ou d'eau douce, en filet (laissant la peau intacte), désossée
- 1/2 tasse (110 g) de sucre en poudre
- 150g de faux sel de mer
- 1/4 bouquet d'aneth, haché finement
- Le zeste finement râpé de 1 1/2 citrons, plus le jus d'un citron
- Huile de tournesol, à frire
- 1 bébé fenouil, frondes réservées

- 2 cuillères à soupe d'huile d'olive
- 1 concombre libanais, pelé, haché finement
- 1 cuillère à soupe de câpres, rincées, égouttées
- 100g de crème fraîche

PRÉPARATION

Retirez la peau des filets de truite, puis coupez et grattez la peau. Couvrez la peau d'une pellicule plastique et placez-la au réfrigérateur jusqu'au moment de l'utiliser.

Dans un bol à mélanger, mélanger le sucre, le sel, l'aneth et la moitié du zeste de citron. Déposer la moitié du mélange de sucre sur un grand morceau de pellicule plastique sur une surface de travail. Couvrir du reste du mélange et déposer la truite dessus. Placer dans un plat allant au four, bien emballé dans une pellicule de plastique (le durcissement peut faire sortir du liquide). Laisser refroidir pendant la nuit.

3. Préchauffez le four à 75 ° C le lendemain. Placer les peaux sur une plaque à pâtisserie tapissée de papier sulfurisé. Cuire au four pendant 30 minutes ou jusqu'à ce qu'ils soient croustillants, puis couper chaque morceau de peau en quartiers avec des ciseaux de cuisine.

Chauffez une petite casserole à moitié remplie d'huile de tournesol à 190 ° C (un cube de pain deviendra doré en 30 secondes). Faites frire les peaux dans une friteuse pendant 1 minute. Réserver après avoir égoutté sur du papier absorbant et assaisonné avec du sel.

5. À l'aide d'une mandoline, raser finement le fenouil, puis mélanger avec de l'huile d'olive et du jus de citron. Rincez la truite sous l'eau courante froide après l'avoir retirée de la pellicule plastique. À l'aide d'une serviette en papier, séchez en tapotant. La truite peut être coupée en morceaux de 1 cm avec un couteau bien aiguisé.

6.Mélanger la truite, le concombre, les câpres et le zeste de citron restant dans un bol à mélanger. Servir avec de la crème fraîche, des craquelins et des frondes de fenouil réservées sur le dessus du mélange de salade de fenouil et de truite.

POUPES DE BRUXELLES AVEC VINAIGRETTE DE SAUCE DE POISSON

Portions: 4

INGRÉDIENTS

- Huile de tournesol, à frire
- 500g de choux de Bruxelles coupés en deux
- 1/4 bouquet de coriandre, feuilles cueillies
- 1/4 tasse de feuilles de menthe finement hachées
- VINAIGRETTE DE SAUCE DE POISSON
- 1/4 tasse (60 ml) de sauce de poisson
- 1 cuillère à soupe de vinaigre de riz

- 1/2 lime, carbonisée, pressée
- 1 1/2 cuillère à soupe de sucre en poudre
- 1 gousse d'ail écrasée
- 1 de chaque petit piment rouge et petit piment vert, tranchés finement

PRÉPARATION

Pour préparer la vinaigrette, fouettez ensemble tous les ingrédients dans un bol avec 2 cuillères à soupe d'eau.

Chauffez une friteuse remplie d'huile ou une grande casserole à 180 ° C. Faites cuire les choux de Bruxelles, par lots de 2-3, pendant 1 à 2 minutes, jusqu'à ce que les feuilles extérieures soient brun foncé et que les choux soient tendres. À l'aide d'une serviette en papier, absorbez l'excès de liquide.

3.Pour servir, mélanger les pousses, la coriandre et la menthe sur une assiette de service avec 1/3 tasse (80 ml) de vinaigrette et mélanger doucement pour combiner.

SOUPE DE POISSON (SOUPE DE POISSON)

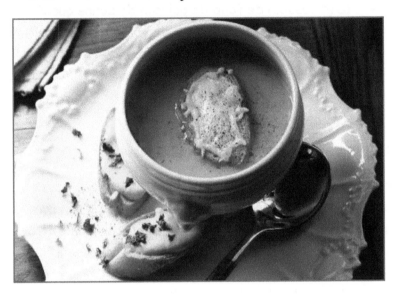

S

Portions: 6

INGRÉDIENTS

- 2 cuillères à soupe d'huile d'olive
- 2 oignons, hachés grossièrement
- 2 poireaux (partie pâle uniquement), hachés
- 1 kg de fruits de mer mélangés (comme les crevettes entières, le saumon et les yeux bleus)
- 1 bulbe de fenouil, haché
- 4 tomates, hachées
- 2 gousses d'ail hachées
- 2 brins de persil plat, plus persil haché pour servir

- 2 feuilles de laurier
- 1 longue bande de zeste d'orange épluchée
- 1 cuillère à soupe de concentré de tomate
- 1L (4 tasses) de fond de poisson de bonne qualité
- 2 tasses (500 ml) de soupe de poisson provençale ou de bisque de homard en conserve
- 1/2 tasse (125 ml) de crème épaissie
- Toasts au fromage et mayonnaise au safran (facultatif), pour servir

PRÉPARATION

Dans une grande casserole, chauffer l'huile à feu moyen. Cuire en remuant périodiquement pendant 2-3 minutes, ou jusqu'à ce que l'oignon et le poireau commencent à ramollir. Incorporer les fruits de mer, le fenouil, la tomate, l'ail et le persil pendant 2 minutes. Incorporer les feuilles de laurier, le zeste d'orange et la pâte de tomate, puis verser la réserve de poisson. Porter à ébullition à feu vif, puis réduire à feu doux et cuire 30 minutes ou jusqu'à ce que les filets de poisson soient décomposés. Pour enlever la saveur, passez au tamis en appuyant sur les solides.

Remettre le bouillon dans la poêle avec la soupe de poisson ou la bisque de homard et cuire 10 minutes à feu moyen, jusqu'à ce qu'il soit légèrement réduit. Incorporer le lait, puis cuire 1 minute ou jusqu'à ce que le tout soit bien chaud. Assaisonner, puis verser dans des bols chauds, garnir de persil supplémentaire, de pain grillé et de mayonnaise, si désiré.

POISSON SAUCE À LA SAUCE AUX HERBES

Portions: 4

INGRÉDIENTS

- 1 gros citron
- 3 gousses d'ail, tranchées
- 1 tasse de feuilles de persil plat, déchirées
- 12 feuilles de menthe et de basilic, déchirées
- 1/4 tasse de feuilles d'origan
- 1/3 tasse (80 ml) d'huile d'olive extra vierge
- 4 filets de poisson blanc de 180 g avec la peau (comme les yeux bleus ou le vivaneau)
- Pain croustillant, pour servir

PRÉPARATION

1. Préchauffez le four à 180 degrés Celsius. À l'aide d'un éplucheur, épluchez le zeste de citron en faisant attention de ne pas prendre de moelle blanche. Dans une baignoire, pressez le jus de citron. Appliquez l'ail, les épices et la moitié de l'huile dans la poêle. Mettez de côté après l'assaisonnement.

Dans une poêle allant au four, chauffer le reste de l'huile à feu moyen-vif. 30 secondes de friture de zeste de citron Assaisonnez le poisson, puis mettez-le dans la poêle côté peau vers le bas. Cuire 3-4 minutes à feu moyen, jusqu'à ce que la peau soit croustillante et que la chair soit devenue blanche sur les bords. Préchauffer le four à 350 ° F et cuire la poêle pendant 5 minutes, ou jusqu'à ce que le poisson soit tout juste cuit. Remettez la casserole dans un endroit à feu doux, versez le mélange d'herbes et faites chauffer. Le poisson doit être servi avec du pain croustillant.

KINGFISH PROVENCALE

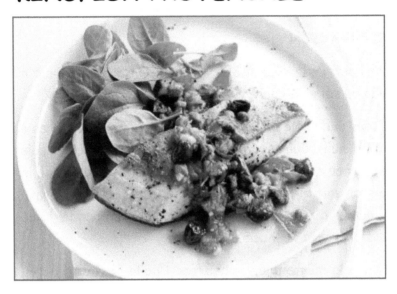

S

Portions: 4

INGRÉDIENTS

- 4 filets de Kingfish de 180g avec la peau
- 1 1/2 cuillère à soupe d'huile d'olive
- 2 gousses d'ail, hachées finement
- Le zeste râpé d'un citron
- 600g de tomates mûries sur pied, épépinées, hachées
- 2 filets d'anchois à l'huile, égouttés, hachés
- 2 cuillères à soupe de câpres, rincées, égouttées
- 2 cuillères à café de vinaigre de vin rouge
- 1 cuillère à café de sucre en poudre
- 50g d'olives kalamata dénoyautées

- 2 cuillères à soupe de feuilles de persil plat
- 2 tasses de bébés épinards ou de roquette

PRÉPARATION

Préchauffer le four à 350 ° F et assaisonner le martin avec du sel et du poivre.

2. Dans une poêle à feu moyen-vif, chauffer 2 cuillères à café d'huile. Cuire 3 minutes avec la peau vers le bas, puis retourner et cuire encore 3 minutes ou jusqu'à ce que le poisson soit bien cuit. Placer sur une assiette et couvrir de papier d'aluminium pour garder au chaud pendant que vous préparez la sauce.

3. Dans la même poêle, chauffer l'huile restante à feu doux. Incorporer l'ail, le zeste de citron et une pincée de sel et de poivre pendant 2-3 minutes, ou jusqu'à ce qu'ils soient tendres mais pas dorés. Ajouter la tomate, les anchois, les câpres, le vinaigre et le sucre et couvrir partiellement. Cuire 3 à 4 minutes ou jusqu'à ce que la tomate soit ramollie. Ajouter les olives et le persil et bien mélanger.

FISHCAKES AVEC PEA CRUSH

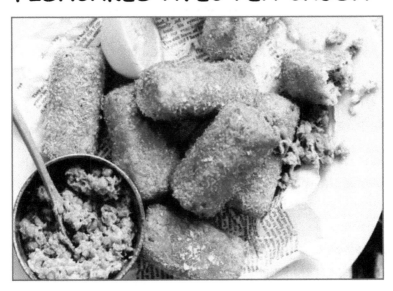

S

Portions: 4

INGRÉDIENTS

- 1 tasse de purée de pommes de terre (2 grosses pommes de terre)
- 210g de saumon rose, égoutté, la peau et les os jetés
- 210g de thon dans l'huile, égoutté
- 1 petit oignon, haché finement
- 1 gousse d'ail finement hachée
- 1 cuillère à soupe de moutarde de Dijon
- Zeste râpé d'un citron, plus quartiers à presser
- 2 cuillères à soupe de persil plat finement haché
- 2 oeufs

- 1/2 tasse (125 ml) de lait
- 1 tasse (150 g) de farine tout usage
- 200g de chapelure panko
- Huile de tournesol, à frire peu profonde
- 3 tasses (360 g) de pois surgelés
- 30g de beurre non salé

PRÉPARATION

Dans un bol à mélanger, mélanger la pomme de terre, le saumon, le thon, l'oignon, l'ail, la moutarde, le zeste de citron, le persil et une pincée de sel et de poivre. Façonnez le mélange en 12 petites bûches, chacune d'environ 6 cm de long, avec vos mains. Pour raffermir, laissez refroidir pendant 20 minutes.

Dans une petite tasse, fouettez ensemble les œufs et le lait. Assaisonnez la farine avec du sel et du poivre dans un plat séparé. Dans un autre bol, placez la chapelure. Pour enrober les galettes de poisson, trempez-les d'abord dans la farine, puis dans le mélange d'œufs et enfin dans la chapelure.

3.Dans une poêle à feu moyen-vif, chauffer 3 cm d'huile de tournesol. Par lots, faites frire les croquettes de poisson pendant 3 à 4 minutes, en les tournant une fois, jusqu'à ce qu'elles soient croustillantes et dorées.

Pendant ce temps, faites bouillir les pois dans de l'eau salée pendant 5 minutes ou jusqu'à ce qu'ils soient tendres. Remettre dans la casserole avec le beurre après avoir bien égoutté. Assaisonner de sel et de poivre, puis écraser doucement avec un presse-purée.

5.Servir les galettes de poisson avec les moitiés de citron et les petits pois écrasés.

SOUPE THAÏLANDAISE DE

S

Portions: 4

INGRÉDIENTS

- 1 cuillère à soupe d'huile de tournesol
- 3 cuillères à soupe de pâte de curry rouge thaï
- 200 ml de lait de coco léger
- 750 ml (3 tasses) de bouillon de poulet ou de poisson réduit en sel
- 4 eschalots asiatiques (rouges), tranchés finement
- 1 long piment rouge, tranché finement

- 2 feuilles de lime kaffir, finement râpées (facultatif)
- 250g de potiron, pelé, coupé en morceaux de 2 cm
- 1 poivron vert, coupé en lanières
- 2 cuillères à soupe de purée de tamarin
- 2 cuillères à soupe de sauce de poisson
- 1 cuillère à soupe de cassonade
- 600g de gros filets de poisson sans peau (tels que les yeux bleus, la lingue ou le vivaneau), coupés en morceaux de 3 cm
- 100g de jeunes pousses d'épinards

PRÉPARATION

Dans une casserole, chauffer l'huile à feu moyen-vif. Cuire, en remuant constamment, pendant 2 minutes ou jusqu'à ce que ce soit parfumé.

2.Dans un grand bol, mélanger le lait de coco, le bouillon, l'eschalot, le piment et les feuilles de lime kaffir, le cas échéant. Cuire 20 minutes, ou jusqu'à ce que la citrouille soit tendre, avec la citrouille, le poivron, le tamarin, la sauce de poisson, le sucre et une pincée de sel.

3.Ajouter le poisson et cuire 5 minutes ou jusqu'à ce qu'il soit opaque.

4.Mettez la moitié des épinards dans quatre bols chauds avec le poisson et les légumes. Répartir les épinards restants sur le dessus, puis arroser de sauce et servir.

POISSON DE STYLE ASIATIQUE CUIT DANS UNE FEUILLE DE BANANE

Portions: 2

INGRÉDIENTS

- 1 grande feuille de bananier fraîche (voir Notes)
- 800g de vivaneau entier (ou empereur rouge), nettoyé
- 1 cuillère à soupe de pâte de curry rouge thaïlandais ou de pâte de laksa
- 2 cuillères à soupe de crème de coco (utilisez la crème épaisse du haut d'une boîte de lait de coco)
- 2 cuillères à soupe de gingembre finement râpé

- 8 feuilles de lime kaffir, finement râpées (voir Notes)
- 2 cuillères à soupe de brins de coriandre
- 1 long piment rouge, tranché en biais
- 2 tasses de riz blanc à grain moyen cuit à la vapeur, pour servir
- PANSEMENT
- 3 tranches de citron vert ou de citron vert frais
- 2 cuillères à soupe de sauce de poisson
- 1/4 tasse (60 ml) de jus de lime
- 2 cuillères à soupe de sauce chili douce

PRÉPARATION

Préchauffez le four à 180 degrés Celsius. Lavez la feuille de bananier et coupez-la juste assez pour envelopper le poisson, en en réservant pour le service.

2.Placez un carré de papier d'aluminium sur la feuille de bananier légèrement plus grande que le poisson, puis garnissez avec le poisson. Dans la partie la plus épaisse de la chair, faites deux entailles. Répartir la pâte de curry sur le poisson, puis recouvrir de crème de coco. Saupoudrer de feuilles de gingembre et de citron vert, puis envelopper le poisson dans la feuille, la tête et la queue aux extrémités opposées du `` tube '' et nouer avec de la ficelle de cuisine.

3.Placez le colis dans une rôtissoire et faites cuire au four pendant 40 minutes, ou jusqu'à ce qu'il soit bien cuit (ouvrez la feuille et passez un couteau le long de la colonne vertébrale pour vérifier). C'est fait lorsque la chair se sépare rapidement de l'os.)

En attendant, préparez la vinaigrette en coupant le citron vert en petits quartiers et en le combinant avec la sauce de poisson, le jus de citron vert et la sauce au piment doux.

5.Si vous le souhaitez, placez la feuille de bananier sur une assiette tapissée de feuille de bananier fraîche. Servir avec du riz et une cuillerée de vinaigrette, garni de coriandre et de piment.

POISSON RÔTI DU DIMANCHE

S

Portions: 4

INGRÉDIENTS

- 1 bouquet de petites carottes (hollandaises), pelées
- 4 petits panais, pelés, coupés en deux
- 8 gousses d'ail (non pelées)
- 4 brins de romarin, plus du romarin haché (ou du persil) supplémentaire pour servir
- 2 cuillères à soupe d'huile d'olive
- 100g de petits champignons shiitake, parés
- 4 filets yeux bleus de 200 g (ou autre poisson blanc ferme)

- 16 jeunes choux de Bruxelles (ou 8 petits), coupés en deux, blanchis pendant 2 minutes
- 2 cuillères à soupe de vinaigre balsamique (facultatif)

PRÉPARATION

Préchauffez le four à 200 degrés Celsius.

Dans une rôtissoire, disposer les carottes, les panais, l'ail et 4 brins de romarin, puis arroser d'une cuillère à soupe d'huile et assaisonner. Mélangez bien le tout, puis faites cuire au four pendant 20 à 25 minutes.

3.Ajoutez les champignons dans la poêle et mélangez-les à nouveau avec 1 cuillère à soupe d'huile. Cuire au four pendant 15 minutes ou jusqu'à ce que les légumes soient dorés et presque tendres, en les retournant une ou deux fois.

Préchauffez une poêle finement huilée à feu vif en attendant. Cuire le poisson 1 à 2 minutes, côté peau vers le bas, jusqu'à ce qu'il soit doré et croustillant. Assaisonnez le poisson et placez-le côté peau vers le haut dans une rôtissoire. Attachez les pousses et faites cuire au four pendant 6 à 8 minutes, ou jusqu'à ce que le poisson soit fini.

5.Pour manger, jetez le romarin cuit au four et répartissez le poisson, les légumes et l'ail dans des assiettes chaudes. Au besoin, arroser de vinaigre balsamique et garnir de romarin ou de persil haché. L'ail doit être chaud et prêt à être pressé dans le jus de l'assiette.

TAGINE POISSON ET CREVETTE AUX ABRICOTS

Portions: 4

INGRÉDIENTS

- 100g d'abricots secs
- 400g de tomates cerises en conserve
- 1 cuillère à café de cumin moulu
- 1/2 cuillère à café de curcuma et de paprika
- 2 piquants de cannelle
- 600g de filets de mahi mahi ou d'espadon sans peau, coupés en cubes de 2-3 cm
- 8 crevettes vertes, pelées (queues intactes), déveinées
- 1 tasse (200g) de couscous

- 2 cuillères à soupe de feuilles de persil plat
- 4 quartiers de citron

PRÉPARATION

Pour faire tremper les abricots, placez-les dans un petit bol, couvrez de 200 ml d'eau bouillante et laissez reposer 30 minutes.

Préchauffez une casserole à feu moyen et ajoutez les tomates. Le cumin, le curcuma, le paprika et la cannelle peuvent être ajoutés maintenant. Assaisonner selon l'envie. Incorporer les abricots et leur liquide de trempage, puis porter à ébullition à feu moyen-vif.

3.Ajouter le poisson et les crevettes et cuire 5 à 10 minutes à feu moyen, jusqu'à ce que le bouillon soit velouté et que le poisson et les crevettes soient bien cuits.

Pendant ce temps, versez 1 tasse (250 ml) d'eau bouillante sur le couscous dans une cuve. Couvrir et réserver pendant 5 minutes, puis égoutter à la fourchette et assaisonner de sel et de poivre au goût.

Mélanger les fruits de mer et la soupe dans des bols, garnir de couscous et de persil et garnir de quartiers de citron.

ESPETADA AUX FRUITS DE MER (BROCHETTES PORTUGAISES)

Portions: 4

INGRÉDIENTS

- 2 gousses d'ail, hachées finement
- 2 longs piments rouges, épépinés, hachés finement
- 2 cuillères à café de gingembre moulu
- 3 cuillères à café de paprika doux
- 2 cuillères à café d'origan séché
- 1/3 tasse (80 ml) d'huile d'olive, plus un supplément à brosser
- 4 limes, coupées en quartiers

- 24 crevettes, pelées (queues intactes), déveinées
- Tubes de calamars de 300g, coupés en lanières de 3 cm
- 400g de filets d'espadon, coupés en morceaux de 3 cm
- 4 épis de maïs
- Feuilles de persil plat, pour servir

PRÉPARATION

Préchauffez un gril ou un gril à feu vif.

2. Pour préparer la marinade, mélanger l'ail, le piment, le gingembre, le paprika, l'origan et l'huile dans un bol, et assaisonner de sel et de poivre.

3. Pour faire les brochettes, enfilez 1 quartier de lime, 1 crevette, 1 tranche de calmar et 1 morceau d'espadon sur une brochette et répétez l'opération. Répéter avec le reste des brochettes, puis couvrir de marinade.

4. Brosser le maïs avec de l'huile et le faire griller pendant 10 minutes, en le retournant périodiquement, jusqu'à ce qu'il soit boursouflé et ramolli.

5. Mettez-le sur le côté. Badigeonnez le gril d'huile et faites cuire les brochettes par lots pendant 2-3 minutes de chaque côté, ou jusqu'à ce que vous ayez terminé.

6. Coupez le maïs en épi et servez avec les brochettes, garnies de persil.

FISHCAKES HOMESTYLE AVEC TARTARE DE CAPER

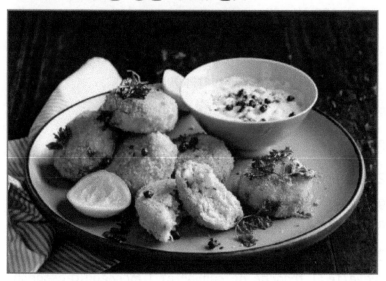

Portions: 8

INGRÉDIENTS

- 250g de filet de cabillaud fumé
- 250g de purée de pommes de terre (environ 1 tasse)
- 1 oignon, râpé
- 1 gousse d'ail écrasée
- 2 cuillères à soupe de câpres salées, rincées, plus 1 cuillère à soupe supplémentaire à frire
- 2 cuillères à soupe de persil plat haché, plus 6 petits brins à frire
- 2 œufs durs, hachés finement

- Une pincée de poivre de Cayenne et de muscade
- 2 cuillères à soupe de farine ordinaire assaisonnée
- 1 œuf battu avec 2 cuillères à soupe de lait
- 2 tasses (140 g) de chapelure fraîche
- Huile de tournesol, à frire peu profonde
- TARTARE DE CAPER
- 2 cuillères à soupe de câpres salées, rincées
- 1 cuillère à soupe de cornichons (petits concombres marinés), hachés finement
- 6 feuilles d'estragon ou de persil, hachées
- 1 cuillère à café de moutarde de Dijon
- 2 cuillères à café de jus de citron, plus des quartiers à servir
- 1/2 tasse (140 ml) de crème fraîche

PRÉPARATION

1.Placez le poisson dans une poêle avec suffisamment d'eau pour le recouvrir. Cuire 5 minutes à feu moyen ou jusqu'à ce que la chair s'écaille facilement. Égouttez le poisson et émiettez la chair en jetant la peau et les os. Mélanger la pomme de terre, l'oignon, l'ail, les câpres, le persil, l'œuf et les épices dans un bol à mélanger. Assaisonner de sel et de poivre, puis façonner 8 croquettes de poisson.

Dans trois moules peu profonds, mélanger la farine assaisonnée, l'œuf battu et la chapelure. Les croquettes de poisson doivent d'abord être farinées, puis trempées dans l'œuf et enfin enrobées de miettes. Pour raffermir, mettre sur une assiette et laisser refroidir 30 minutes.

3.Pour préparer le tartare, mélanger tous les ingrédients dans un bol et assaisonner de sel et de poivre. Réfrigérer jusqu'à ce que vous en ayez besoin.

4.Dans une poêle, chauffer 3 cm d'huile à feu moyen-vif. Les câpres et les brins de persil supplémentaires doivent être frits séparément pendant 30 secondes ou jusqu'à ce qu'ils soient croustillants, puis égouttés sur du papier absorbant.

Faites cuire les galettes de poisson en deux lots pendant 2-3 minutes de chaque côté jusqu'à ce qu'elles soient dorées. Servir avec des quartiers de tartare et de citron, des câpres frites et du persil en accompagnement.

POISSON EN CROÛTE DE MACADAMIA AVEC SALADE AUX HERBES

Portions: 4

INGRÉDIENTS

- 2 tasses (300 g) de macadamias non salées
- 1 gousse d'ail hachée
- Le zeste râpé et le jus d'un citron, plus les quartiers à servir
- 2 cuillères à soupe d'huile d'olive extra vierge
- 1/2 bouquet de persil plat et de ciboulette
- 4 x 160g de filets de barramundi sans peau

- 50g de feuilles de salade composées, pour servir

PRÉPARATION

Préchauffer le four à 200 ° C et tapisser une plaque à pâtisserie de papier sulfurisé.

Dans un petit robot culinaire, fouettez les noix, l'ail, le zeste, la moitié du jus et 1 cuillère à soupe d'huile en une pâte grossière. Assaisonner et transférer dans une tasse. 2 cuillères à soupe de persil, 2 cuillères à soupe de ciboulette, hachée finement

3.Placer le poisson sur le plateau et garnir du mélange de noix. Cuire au four de 15 à 20 minutes ou jusqu'à ce que le poisson soit opaque et que la croûte soit dorée.

4. Ramassez les feuilles de persil restantes et coupez la ciboulette en deux. Mélanger les feuilles de salade, le reste de l'huile et le jus de citron dans un bol à mélanger. Assaisonner au goût, puis servir avec des quartiers de citron et du poisson.

KINGFISH POÊLE AU CHOU ET BACON

Portions: 4

INGRÉDIENTS

- 25g de beurre non salé
- 1/4 tasse (60 ml) d'huile d'olive
- 4 tranches de bacon, hachées
- 1/4 tasse (60 ml) de vin blanc sec
- 1 1/2 tasse (375 ml) de bouillon de poulet, chauffé
- 1/4 gros chou frisé, finement râpé
- 2 brins de thym, plus un supplément pour garnir
- 4 x 150g de filets de martin sans peau
- Purée de pommes de terre, pour servir

PRÉPARATION

Dans une poêle à feu moyen-vif, faire fondre le beurre avec 1 cuillère à soupe d'huile. 5-6 minutes, en remuant régulièrement, jusqu'à ce que le bacon soit légèrement doré. Laisser mijoter 2-3 minutes après avoir ajouté le vin et le bouillon, puis ajouter le chou et le thym. Cuire à couvert pendant 8 à 10 minutes ou jusqu'à ce que les légumes soient tendres. C'est le moment de l'année.

2.Dans une autre poêle, faites chauffer les 2 cuillères à soupe d'huile restantes. Assaisonner le poisson avec du sel et du poivre et cuire 2-3 minutes de chaque côté ou jusqu'à ce qu'il soit bien cuit. Servir avec de la purée de pommes de terre et du chou. Servir avec du thym comme garniture.

POISSON MARINÉ AU YAOURT ENVELOPPÉ DANS DES COURGETTES

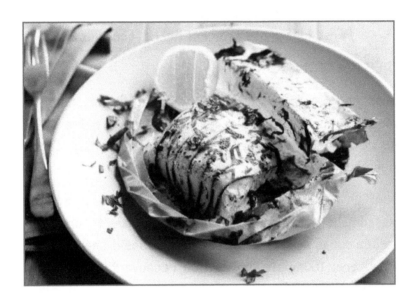

Portions: 4

INGRÉDIENTS

- 500g de yaourt à la grecque épais
- 1/2 bouquet de menthe, feuilles cueillies, hachées grossièrement
- 1 cuillère à café de flocons de piment séchés
- Le zeste finement râpé d'un citron et le jus de 2 citrons, plus des quartiers supplémentaires pour servir

- 4 x 200g de filets de poisson blanc fermes et sans peau (comme les yeux bleus)
- 2-3 courgettes longues, coupées en rubans de 2 mm d'épaisseur (une mandoline ou un éplucheur de légumes est idéal)
- 2 cuillères à soupe d'huile d'olive
- Persil plat grossièrement haché, pour servir

PRÉPARATION

Dans une petite tasse de robot culinaire, mélanger le yaourt, la menthe, les flocons de piment, le zeste et le jus de citron, et fouetter jusqu'à consistance lisse. C'est le moment de l'année.

Dans un bol en verre peu profond, placez les filets de poisson. La moitié de la marinade au yaourt doit être versée sur le poisson et étalée avec le dos d'une cuillère. Réfrigérer 10 minutes après avoir recouvert le plat d'une pellicule plastique.

3.Pour ramollir les tranches de courgettes, assaisonner de sel et réserver pendant 1 à 2 minutes.

4. Sortir l'un des filets de poisson de la marinade. Placer 6-8 tranches de courgette sur le dessus du poisson, en se chevauchant légèrement, et replier les extrémités en dessous. Répéter avec les courgettes et les filets de poisson restants.

5. Préchauffez le four à 200 degrés Celsius.

6.Coupez quatre rectangles de papier sulfurisé de 30 cm x 40 cm. Pliez l'un des rectangles en deux. Un morceau de poisson doit être placé au centre le long du pli lorsque le sac est ouvert. Versez 1 cuillère à soupe d'huile d'olive sur le poisson et 1 cuillère à soupe de marinade. C'est le moment de l'année. Pliez le papier en deux sur le poisson et coupez les bords ouverts en demi-cercle avec des ciseaux. Pour fermer fermement, sertir à intervalles de 1 cm à 2 cm, en faisant des plis fermes. Pour sécuriser les extrémités, tordez-les ensemble et placez-les sur une plaque à pâtisserie. Répétez avec le reste du poisson et du papier.

7.Cuire de 8 à 10 minutes ou jusqu'à ce qu'ils soient dorés et gonflés. Laissez reposer les colis pendant 2 à 3 minutes après avoir retiré le plateau du four.

8.Assemblez les colis sur des assiettes de service. Coupez délicatement le poisson avec des ciseaux, puis saupoudrez de persil et servez avec des quartiers de citron.

MINI TARTE AU POISSON

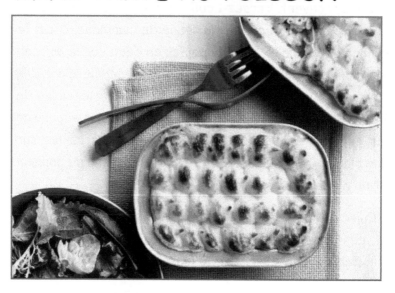

Portions: 4

INGRÉDIENTS

- 1 tasse (250 ml) de vin blanc
- 1 cuillère à soupe d'aneth finement haché, les tiges réservées
- 1 cuillère à soupe d'estragon finement haché, les tiges réservées
- 1 cuillère à soupe de persil plat finement haché, les tiges réservées
- 1 poireau, tranché finement
- 3 échalots, tranchés finement
- 250g de filet de saumon sans peau, coupé en morceaux de 4 cm.

- 250g de crevettes vertes, pelées, déveinées
- 8 pétoncles, les œufs enlevés, coupés en deux
- 25g de farine tout usage
- 250g de beurre non salé, ramolli
- 300 ml de crème pure (fine)
- 1 kg de pommes de terre King Edward, pelées et hachées
- 100 ml de lait
- 2 jaunes d'oeuf
- Feuilles de salade, pour servir

PRÉPARATION

Préchauffez le four à 180 degrés Celsius.

Dans une grande poêle à feu moyen, mélanger le vin et 1 tasse (250 ml) d'eau. 1 cuillère à café de poivre noir grossièrement moulu, tiges d'herbes, poireaux et échalotes Porter à ébullition, puis réduire à feu doux et cuire 2 minutes ou jusqu'à ce que les saveurs soient infusées.

3.Ajouter le saumon et cuire 2 minutes en retournant à mi-cuisson. Cuire encore une minute ou jusqu'à ce que les crevettes et les pétoncles commencent tout juste à changer de couleur. À l'aide d'une cuillère à trous, retirez les fruits de mer et mettez-les dans une tasse propre. Supprimer de l'équation.

4.Mélanger la farine et 25 g de beurre dans une petite tasse. Remettre le bouillon à feu moyen-doux après avoir retiré les tiges d'herbes de la poêle. Porter à ébullition, puis ajouter 1 cuillère à soupe du mélange de beurre à la fois, en fouettant pour combiner à chaque ajout. Assaisonner de sel et de poivre et cuire, en remuant constamment, pendant 3 minutes ou jusqu'à ce que la sauce épaississe. Cuire encore 2 minutes après avoir ajouté le lait. Laissez le temps de refroidir.

5.Dans une grande casserole d'eau froide salée, placez la pomme de terre. Porter à ébullition, puis réduire à feu doux et cuire de 12 à 15 minutes, ou jusqu'à ce que les pommes de terre soient tendres. Égoutter et passer dans un presse-purée ou écraser avec un presse-purée jusqu'à consistance lisse. Incorporer les 225 g de beurre restants pendant que la pomme de terre est encore sucrée. Assaisonner de sel et de poivre et réserver le lait et les jaunes d'œufs.

Dans un plat allant au four de 350 ml, incorporer les fruits de mer et les herbes hachées dans la sauce refroidie. Cuire de 15 à 20 minutes, jusqu'à ce que la pomme de terre bouillonne et soit dorée. Retirer le plat du four et garnir de feuilles de salade.

LINGUINI PÉTONCLES ET CITRON CONSERVÉ SQUID-INK

Portions: 2

INGRÉDIENTS

- 200g d'encre de seiche ou de linguini ordinaire
- 2 cuillères à soupe d'huile d'olive
- 10 pétoncles, les œufs enlevés
- 2 gousses d'ail, tranchées finement
- 1 long piment rouge, épépiné, tranché finement
- 1 tasse (250 ml) de vin blanc sec
- 20g de beurre non salé
- 1/4 de citron confit, moelle et chair enlevées, écorce tranchée finement

PRÉPARATION

1.Cuire les pâtes selon les instructions sur l'emballage dans une grande casserole d'eau bouillante légèrement salée. Égouttez l'eau.

2.Dans une grande poêle, chauffer 1 cuillère à soupe d'huile à feu vif. Assaisonner les pétoncles avec du sel et du poivre, puis cuire 1 minute de chaque côté ou jusqu'à ce qu'ils soient dorés et bien cuits. Retirez l'objet et mettez-le de côté. 1 cuillère à soupe d'huile restante dans la poêle, puis faites cuire l'ail et le piment, en remuant constamment, pendant 1 minute ou jusqu'à ce qu'ils soient dorés. Augmenter le feu à vif et cuire 5 minutes ou jusqu'à ce que le liquide se soit évaporé. Retirer la casserole du feu et incorporer la croûte.

3.Remettez la poêle à feu moyen et ajoutez les pâtes. Incorporer les pétoncles après avoir doucement mélangé. Assaisonner au goût et servir.

PÉTONCLES SAUTÉES AVEC PANSEMENT JALAPEÑO

Portions: 4

INGRÉDIENTS

- 1 piment jalapeño frais, épépiné, haché finement
- 1/2 petit oignon rouge, haché finement
- 1 cuillère à soupe d'huile de pépins de raisin
- 1 cuillère à café d'huile d'olive extra vierge
- 1/4 tasse (60 ml) de jus de citron ou de lime
- 12 pétoncles sur la demi-coquille, œufs d'orange enlevés
- 2 cuillères à soupe d'huile d'olive
- 10g de beurre non salé

- PANSEMENT JALAPEÑO (DONNE 100ML)
- 4 petits piments jalapeño (50 g), épépinés, grossièrement hachés
- 1 petite gousse d'ail hachée
- 2 1/2 c. À soupe (50 ml) de vinaigre de riz
- 2 1/2 cuillères à soupe (50 ml) d'huile d'olive

PRÉPARATION

Dans un bol à mélanger, mélanger le jalapeo, l'oignon, l'huile de pépins de raisin, l'huile d'olive extra vierge, le jus de citron et 1/2 cuillère à café de sel. Réserver la salsa jalapeo.

Pour préparer la vinaigrette jalapeo, réduisez en purée le jalapeo, l'ail, le vinaigre et 1 1/2 cuillère à café de sel dans un mélangeur à bâtonnet jusqu'à consistance lisse. Incorporer progressivement l'huile d'olive au mélange, puis passer au tamis. Réservez la vinaigrette.

3. Sortez les pétoncles des coquilles et mettez-les de côté. Les coquilles de pétoncles doivent être nettoyées et séchées avec une serviette en papier.

4.Dans une grande poêle, chauffer l'huile à feu vif. En utilisant du sel et du poivre, assaisonnez les pétoncles. Cuire les pétoncles pendant 1 1/2 minute de chaque main, ou jusqu'à ce qu'ils soient dorés et translucides au milieu. Pour glacer les pétoncles, appliquez le beurre pendant les 30 dernières secondes de cuisson.

5.Pour servir, répartir la vinaigrette jalapeo parmi les coquilles de pétoncles, garnir chacune d'une pétoncle et terminer par la salsa.

TOFU PÉTONCLES ET SOIE AU SOYA ET WASABI BEURRE

Portions: 4

INGRÉDIENTS

- 8 pétoncles dans la demi-coquille, œufs enlevés
- 300g de tofu soyeux, égoutté
- 100g de beurre non salé
- 3 gousses d'ail, hachées finement
- 1 cuillère à café de pâte de wasabi
- 1 cuillère à café de sucre en poudre
- 2 cuillères à soupe de sauce soja
- 1 barquette de cresson à la moutarde

PRÉPARATION

Préchauffez le four à 160 degrés Celsius. Les pétoncles et le tofu doivent être coupés en petits cubes de taille égale. Les coquilles de pétoncles doivent être placées sur un 2. Dans une casserole, faire fondre le beurre à feu moyen-vif pendant 2 1/2 minutes ou jusqu'à ce qu'il soit doré. Retirer du feu et laisser refroidir légèrement. Fouettez ensemble l'ail, le wasabi, le sucre et la sauce soja.

3. Préchauffer le four à 400 ° F pendant 4 minutes ou jusqu'à ce que les pétoncles et le tofu soient chauds. Pour manger, arroser de sauce et garnir de cresson à la moutarde.

PÉTONCLES GRILLÉES DE LA BAIE HERVEY DE MATT MORAN AVEC Vinaigrette TOGARASHI ET SIROP DE PIMENT

Portions: 4

INGRÉDIENTS

- 1/2 cuillère à café de maïzena
- 1/4 tasse (55 g) de sucre en poudre
- 1 long piment rouge, épépiné, haché finement
- 1/3 tasse (80 ml) de vinaigre de riz
- 1 cuillère à café de gingembre râpé

- 2 pincées de shichimi togarashi (mélange d'épices japonais de sel, piment, poivre noir, graines de sésame, écorce d'orange séchée, graines de pavot et nori)
- 16 pétoncles de Hervey Bay, œufs enlevés
- 1 cuillère à soupe d'huile d'olive
- Micro cresson, à servir

PRÉPARATION

Dans un bol à mélanger, mélanger la maïzena et 2 cuillères à café d'eau froide. Supprimer de l'équation.

Dans une petite casserole à feu moyen, mélanger le sucre, le piment et 2 cuillères à soupe d'eau. Porter à ébullition, puis réduire à feu doux et cuire 1 minute. Cuire 1 minute de plus, ou jusqu'à épaississement légèrement, après avoir ajouté le mélange de farine de maïs. Retirer la casserole du feu et incorporer au fouet le vinaigre, le gingembre et le togarashi. Laisser refroidir avant de servir.

3.Dans une grande poêle, chauffer l'huile à feu vif. Assaisonner les pétoncles avec du sel et du poivre après les avoir mélangés dans l'huile. Saisir les pétoncles par lots pendant 30 secondes de chaque côté, ou jusqu'à ce qu'ils soient caramélisés mais opaques au milieu.

4.Servir en arrosant de togarashi et de vinaigrette au sirop de piment sur les pétoncles et en répandant du micro-cresson sur le dessus.

PÉTONCLES SEARES À LA CRÈME FRAICHE ET AU WASABI CRUNCH

Portions: 4

INGRÉDIENTS

- 1/4 tasse (60g) de crème fraîche
- 1 cuillère à soupe de ciboulette finement hachée
- 1 cuillère à soupe d'aneth finement haché
- Zeste finement râpé d'un citron vert
- 2 cuillères à café de vinaigre de riz
- 2 cuillères à soupe d'huile d'arachide ou de tournesol, plus un supplément pour brosser
- 2 cuillères à soupe de tamari
- 20 pétoncles, œufs enlevés

- 1/4 tasse (25 g) de pois wasabi, légèrement écrasés
- Micro herbes, pour servir

PRÉPARATION

1.Mélanger la crème fraîche, la ciboulette, l'aneth, le zeste de lime et le vinaigre de riz dans un bol à mélanger. Assaisonner de sel et de poivre et réserver.

Mélangez l'huile et le tamari dans un bol à mélanger. Supprimer de l'équation. Préchauffer une poêle à feu vif. Assaisonner les pétoncles avec du sel et du poivre après les avoir badigeonnés d'huile. Cuire les pétoncles par lots pendant 30 secondes de chaque côté ou jusqu'à ce qu'ils soient dorés mais encore translucides au milieu.

3.Pour servir, mettre une cuillerée de crème fraîche sur chaque assiette de service et garnir de pétoncles. Arroser de vinaigrette tamari, puis ajouter les pois wasabi et les micro-herbes pour finir.

TARTARE DE PÉTONCLES

S

Portions: 4

INGRÉDIENTS

- Zeste finement râpé de 1/2 citron
- 1 cuillère à soupe de vinaigre de vin de riz
- 2 cuillères à café de sauce soja
- 1 cuillère à café de sauce de poisson et d'huile de sésame
- 2 cuillères à soupe d'huile de tournesol
- 8 gros pétoncles, tranchés finement horizontalement
- Zeste finement râpé d'un citron vert
- Herbes mélangées, pour servir

PRÉPARATION

Préchauffez le four à 100 degrés Celsius. Sur une plaque à pâtisserie, parsemer le zeste et 1 cuillère à soupe de sel de mer, puis rôtir pendant 12 à 15 minutes, en remuant 2-3 fois, jusqu'à ce que sec. Pour rendre une poudre grossière, passez à un mortier et un pilon.

Dans un bol à mélanger, mélanger le vinaigre, la sauce soja, la sauce de poisson et les huiles. Supprimer de l'équation.

3.Assemblez les pétoncles sur les bols. Arroser de vinaigrette soya après avoir appliqué le zeste de lime et une pincée de sel de mer au citron. Saupoudrer d'épices, assaisonner de sel et de poivre et servir.

CEVICHE DE PÉTONCLES TEQUILA-SPIKED

Portions: 4

INGRÉDIENTS

- 1/4 de baguette, tranchée finement
- 1/4 tasse (60 ml) d'huile d'olive extra vierge, plus extra à brosser
- 12 grosses coquilles Saint-Jacques, les œufs enlevés, coupés en morceaux de 1 cm
- 1/4 tasse (60 ml) de tequila
- 1/4 tasse (60 ml) de jus de lime
- 1/2 oignon rouge, haché finement
- 1 tomate, épépinée, hachée grossièrement

- 1 long piment rouge, épépiné, haché finement
- 1 concombre libanais, épépiné, haché grossièrement
- 1/2 bouquet de coriandre, feuilles grossièrement hachées

PRÉPARATION

Préchauffez le four à 170 degrés Celsius. Badigeonner les tranches de baguette d'huile, puis les placer sur une plaque à pâtisserie et cuire au four jusqu'à ce qu'elles soient dorées et croustillantes, environ 10 à 12 minutes. Laisser refroidir avant de servir.

Pendant ce temps, mélangez les pétoncles dans un bol avec la tequila et le jus de citron vert. Laisser 10 minutes pour que l'acide du jus de citron vert «réchauffe» les pétoncles. Égouttez le liquide en réservant 2 cuillères à café.

Dans un bol à mélanger, mélanger doucement les pétoncles, la sauce réservée, l'oignon, la tomate, le piment, le concombre, la coriandre et le 1/4 tasse (60 ml) d'huile d'olive restant pour mélanger. Avec les toasts, servez.

CEVICHE DE PÉTONCLES TEQUILA

S

Portions: 4

INGRÉDIENTS

- Jus de 4 limes
- 1 long piment vert, épépiné, haché finement
- 1 cuillère à café de sauce de poisson
- 2 1/2 cuillères à soupe de cassonade
- 1 concombre libanais, épépiné, haché finement
- 2 cuillères à soupe de tequila
- 16 pétoncles, œufs enlevés, tranchés finement en fines rondelles
- 2 échalots, hachés finement

- 2 tomates, épépinées, hachées finement
- 1/2 avocat, haché finement
- Micro coriandre ou micro cresson (voir notes), à servir

PRÉPARATION

Dans un robot culinaire, fouetter le jus de lime, le chili, la sauce de poisson, le sucre, un quart du concombre et 1 cuillère à café de sel jusqu'à consistance lisse. Assaisonner de sel et de poivre après avoir fouetté dans la tequila. Couvrir et réfrigérer pendant 30 minutes pour que les saveurs infusent, puis passer dans un bol non réactif avec les pétoncles et l'échalot.

Assemblez le ceviche sur des assiettes de service. Servir avec le concombre, l'oignon, l'avocat et les micro-herbes restants sur le dessus.

PÉTONCLE CARAMÉLISÉE MIANG (FEUILLES DE BETELLE)

Portions: 20

INGRÉDIENTS

- 2/3 tasse (50 g) de noix de coco râpée, grillée
- 1/2 tasse (75 g) d'arachides grillées, écrasées
- 2 cuillères à soupe de pâte de haricots pimentés ou de confiture de piments (voir notes)
- 1 1/2 cuillères à soupe de sauce de poisson
- 2 cuillères à soupe de sucre de palme ou de cassonade
- 1/4 tasse (75 g) de sauce au piment doux
- 2 cuillères à soupe de jus de citron vert

- Huile d'arachide ou huile de son de riz, à brosser
- 20 pétoncles, œufs enlevés
- 20 feuilles de bétel (voir notes)
- Échalotes asiatiques frites (voir notes), feuilles de coriandre et feuilles de lime kaffir finement râpées, pour servir

PRÉPARATION

Pétoncles caramélisés Miang (feuilles de bétel). Panna cotta au citron vert et noix de coco à droite.

Chauffer une large poêle à feu moyen-vif et badigeonner d'un peu d'huile. Assaisonnez les pétoncles avec du sel et faites cuire par lots pendant 30 secondes de chaque côté, ou jusqu'à ce qu'ils soient dorés et caramélisés à l'extérieur mais encore opaques au centre - ajoutez un peu plus d'huile si nécessaire.

3.Placez 1 cuillère à café de sauce chili sur chaque feuille de bétel, garnissez d'un pétoncle et terminez avec des échalotes asiatiques frites, de la coriandre et une feuille de lime kaffir. Servez tout de suite.

TARTE DE PÉTONCLES À LA CAROTTE ET PUREE DE CARDAMOME

Portions: 24

INGRÉDIENTS

- 3 carottes, hachées
- 1/3 tasse (80 ml) de jus d'orange frais
- Pincée de fils de safran
- 6 gousses de cardamome, légèrement meurtries
- 50g de beurre non salé
- 100g de yaourt à la grecque épais
- Zeste et jus d'un citron

- 1/4 tasse chacun de graines de sésame et de nigelle
- 2 cuillères à soupe de ghee
- 24 pétoncles (sans œufs)
- 24 coquilles de tarte précuites de 4 cm
- Brins de coriandre, pour garnir

PRÉPARATION

Dans une casserole, mélanger les carottes, le jus d'orange, le safran et la cardamome avec suffisamment d'eau pour couvrir. Porter à ébullition, puis réduire à feu doux et poursuivre la cuisson pendant encore 25 à 30 minutes ou jusqu'à ce que les carottes soient tendres. Les gousses de cardamome doivent être égouttées et jetées. Laisser les carottes refroidir légèrement avant de les mélanger avec du beurre, du sel et du poivre dans un robot culinaire. Remettre dans la poêle après avoir sifflé pour former une purée onctueuse. Restez mouillé.

Dans un petit bol, ajoutez le yaourt et le jus de citron. Assaisonner de sel et de poivre au goût, puis réfrigérer jusqu'à ce que vous en ayez besoin.

3.Dans un bol à mélanger, mélanger les graines. Supprimer de l'équation.

4.Dans une casserole à feu moyen-vif, faire fondre le ghee. Assaisonner les pétoncles des deux côtés avec du sel et du poivre, puis cuire par lots pendant 30 secondes de chaque côté, ou jusqu'à ce qu'ils commencent à changer de couleur. Dans un grand bol, mélanger les pétoncles chauds avec le mélange de graines.

5.Versez une bonne cuillère à café de purée dans chaque coquille de tarte, garnissez d'un pétoncle et d'un filet de vinaigrette au yaourt et terminez par des brins de coriandre et du zeste.

PÉTONCLES SÉPARÉES À LA POUSSIÈRE DE BACON ET À L'AVOCAT ÉCRASÉ SUR TOAST

Portions: 4

INGRÉDIENTS

- 3 tranches de bacon
- 1 cuillère à café de graines de coriandre, grillées
- 2 longs piments rouges, épépinés
- 2 avocats
- 1/4 d'oignon rouge, haché finement
- 1 tomate, épépinée, hachée
- 1/2 bouquet de coriandre, feuilles hachées
- 1 cuillère à soupe de jus de lime, plus des quartiers à servir

- 1 cuillère à soupe d'huile d'olive
- 12 pétoncles sans œufs
- 4 tranches de pain au levain, grillées
- Micro herbes ou petites feuilles de coriandre, pour servir

PRÉPARATION

Préchauffer le four à 190 ° C et tapisser une plaque à pâtisserie de papier sulfurisé. Placer le bacon sur une plaque à pâtisserie et cuire au four de 15 à 20 minutes, ou jusqu'à ce qu'il soit croustillant et sec. Laisser refroidir sur une assiette tapissée de papier absorbant. Dans un petit robot, mélanger le bacon et les graines de coriandre et mélanger jusqu'à ce qu'ils soient finement moulus (sinon, hacher très finement).

2. Trancher finement 1 piment et réserver pour la garniture, puis hacher finement le piment restant et mélanger avec l'avocat, l'oignon, la tomate, les feuilles de coriandre et le jus de lime dans un mortier ou un grand bol à mélanger. À l'aide d'un pilon ou d'une fourchette, écraser jusqu'à ce qu'une pâte grossière se développe.

3.Dans une grande poêle, chauffer l'huile à feu vif. Cuire 30 secondes de chaque côté ou jusqu'à ce qu'ils soient juste opaques, en assaisonnant les pétoncles au besoin. Faites griller le pain et étalez-y le mélange d'avocat. 3 pétoncles sur le dessus de chacun, suivis de la poudre de bacon, du piment émincé et des herbes. Et des quartiers de citron vert sur le côté.

PÉTONCLES CARAMÉLISÉES À LA BETTERAVE, NOIX ET WITLOF

Portions: 4

INGRÉDIENTS

- 1 bouquet de betteraves rouges, frottées
- 1 pomme verte, coupée en quartiers, évidée
- 2 witlof rouge (endive belge), feuilles séparées
- 100g de feuilles de roquette sauvage
- 8-12 pétoncles, nettoyés
- 1 cuillère à soupe d'huile d'olive
- 2 cuillères à soupe de noix grossièrement hachées, grillées
- PANSEMENT

- 1/4 tasse (60 ml) d'huile d'olive ou d'huile de noix (voir Notes)
- 2 cuillères à soupe de vinaigre de vin rouge
- 1 cuillère à soupe de miel
- 1 cuillère à café de moutarde de Dijon

PRÉPARATION

Préchauffez le four à 180 degrés Celsius.

2.Placez la betterave sur une grande feuille de papier d'aluminium et pliez-la en deux pour faire un colis. Rôtir pendant 1 heure ou jusqu'à ce que les betteraves soient tendres. Une fois la betterave refroidie, épluchez-la et coupez-la en quartiers.

3.Pour préparer la vinaigrette, fouettez ensemble l'huile d'olive ou de noix, le vinaigre, le miel et la moutarde dans un bol, assaisonnez avec du sel et du poivre et diluez avec un peu d'eau. Trancher finement la pomme et la mélanger avec le witlof et la roquette dans la vinaigrette. Réservez au fur et à mesure de la préparation des pétoncles.

4.Dans une poêle sèche, chauffer l'huile à feu moyen. Assaisonner les pétoncles avec du sel de mer et du poivre noir fraîchement moulu après les avoir badigeonnés d'huile. Saisir les pétoncles par lots pendant 30 secondes de chaque côté, ou jusqu'à ce qu'ils soient caramélisés à l'extérieur mais opaques au milieu.

Mélangez la salade entre les assiettes, puis ajoutez les pétoncles, les betteraves et les noix. Arroser du reste de la vinaigrette et servir.

PÉTONCLES SEARES AU CHORIZO ET CAPSICUM RÔTI

Portions: 8

INGRÉDIENTS

- 3 poivrons rouges
- 2 tomates mûries sur vigne
- 1/2 tasse (125 ml) d'huile d'olive
- 4 échalots, hachés finement
- 4 gousses d'ail, hachées finement
- 2 chorizos (environ 250g), pelés, hachés finement
- 2 cuillères à soupe de persil plat haché
- 16 grosses pétoncles sur la demi-coquille, œufs d'orange enlevés

- 1/2 cuillère à café de paprika fumé (pimenton)

PRÉPARATION

Préchauffez le four à 200 degrés Celsius. Rôtir pendant 25-30 minutes, en tournant une fois, jusqu'à ce que les peaux soient carbonisées et que la chair soit tendre, sur une plaque à pâtisserie. Retirer du four et placer dans un sac en plastique pour refroidir. Coupez une petite croix dans la base de chaque tomate entre-temps. Blanchir pendant 20 secondes dans une grande casserole d'eau bouillante, puis plonger dans l'eau glacée pendant 30 secondes. Retirez les graines et coupez finement la chair après l'épluchage. Supprimer de l'équation.

Cassez les poivrons dans un bol jusqu'à ce qu'ils aient suffisamment refroidi pour pouvoir récupérer tout le jus. Retirez et jetez la peau et les graines, puis hachez finement les ingrédients restants. Mettez de côté le poivron haché dans le bol de mixage.

Dans une poêle de taille moyenne, chauffer 100 ml d'huile d'olive. Cuire, en remuant régulièrement, pendant 5 minutes, ou jusqu'à ce que les échalots et l'ail soient tendres et que le chorizo soit doré, jusqu'à ce que les échalots et l'ail soient tendres et que le chorizo soit doré. Laisser mijoter pendant 3 à 5 minutes, jusqu'à ce qu'une partie de l'excès d'humidité se soit évaporée et que la sauce soit épaisse mais pas sèche, après quoi ajoutez le mélange de tomates et de poivron. Assaisonner de sel et de poivre après avoir ajouté le persil haché.

Pendant que vous attendez que les pétoncles cuisent, gardez-les au chaud.

6. Mettez les pétoncles de côté après les avoir séparés de leur coquille. Mettez de côté après avoir lavé les coquilles et les sécher avec une serviette en papier.

7.Dans une grande poêle antiadhésive, chauffer 2 cuillères à café d'huile à feu vif. Assaisonner les pétoncles avec du sel et du poivre des deux côtés. Cuire les pétoncles pendant 1 minute de chaque main, ou jusqu'à ce qu'ils soient dorés mais encore translucides au milieu, en deux lots. En utilisant l'huile restante et les pétoncles, répétez le processus.

8.Mettez les pétoncles sur le dessus de la sauce chorizo et poivron et répartissez-les dans les coquilles. Servez tout de suite.

PÉTONCLES AVEC CROMBES DE PAIN, POIS ET PROSCIUTTO

Portions: 6

INGRÉDIENTS

- 2 cuillères à soupe de persil plat haché
- 2 gousses d'ail, hachées finement
- 4 tranches de prosciutto, hachées
- Une pincée de flocons de piment
- 1 tasse (70 g) de chapelure au levain
- 1/4 tasse (60 ml) d'huile d'olive extra vierge
- 24 pétoncles sur la demi-coquille, œufs enlevés
- 2 tasses (240 g) de pois surgelés
- 1/2 tasse (40 g) de parmesan finement râpé
- 2 cuillères à soupe de vin blanc sec

PRÉPARATION

1.Pulpez le persil, l'ail, le prosciutto, le chili et la chapelure dans un mini-robot. Assaisonner de sel et de poivre, puis mélanger jusqu'à ce que tout soit mélangé. Placer les pétoncles sur une plaque à pâtisserie dans leur coquille.

2.Réglez le gril à feu moyen-vif.

3. Blanchir les pois pendant 2 minutes dans de l'eau bouillante salée. Égouttez l'eau. Assaisonner et mélanger avec le parmesan. Restez mouillé.

Arroser de vin sur les pétoncles et faire griller pendant 1 à 2 minutes, ou jusqu'à ce que les miettes soient dorées et que les pétoncles ne soient frits. Servir sur une assiette avec des pois parmesan éparpillés sur le dessus.

Pétoncles à la mangue fraîche et sauce au safran

Portions: 6

INGRÉDIENTS

- 2 mangues mûres
- 2 concombres libanais
- 1 citron vert, pressé
- 5 ml (1 cuillère à café) de vinaigre de vin blanc
- 40 ml (2 cuillères à soupe) d'huile d'olive, plus un supplément à brosser
- 1 cuillère à soupe de coriandre fraîche hachée
- 300 ml de vin blanc
- 300 ml de crème épaissie

- 1 cuillère à café de fils de safran
- 36 grosses coquilles Saint-Jacques aux œufs, nettoyées

PRÉPARATION

1. Coupez la chair des mangues en longues tranches après les avoir épluchées. Supprimer de l'équation.

Les tranches de concombre peuvent être tranchées finement à l'aide d'un éplucheur de légumes. Mélanger le jus de lime, le vinaigre, l'huile et la coriandre dans un bol à mélanger.

3.Dans une petite casserole, mélanger le vin, le lait et le safran et cuire 5 à 6 minutes ou jusqu'à épaississement. Supprimer de l'équation.

4.Placez trois pétoncles sur chaque brochette et arrosez d'huile d'olive. Sel et poivre au goût. Cuire les pétoncles pendant 1 minute de chaque côté dans une poêle antiadhésive à feu vif jusqu'à ce qu'ils soient opaques. Servir avec de la crème au safran et deux brochettes de mangue et de concombre dans chaque assiette.

PÉTONCLES À LA VAPEUR ET LÉGUMES CHINOIS

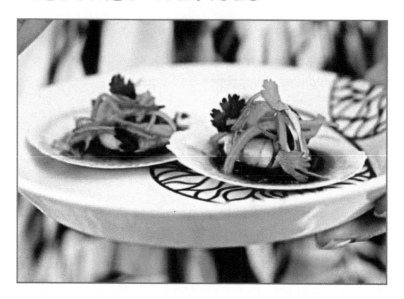

Portions: 6

INGRÉDIENTS

- 1/2 cuillère à café d'huile de sésame
- 1 cuillère à soupe d'huile d'arachide
- 1 cuillère à soupe de gingembre râpé
- 2 gousses d'ail, hachées finement
- 1 petit piment rouge, épépiné, haché finement
- 1/3 tasse (80 ml) de sauce soya
- 24 pétoncles dans la demi-coquille
- Feuilles de coriandre, pour servir

LÉGUMES CHINOIS

- 100 ml de vinaigre de riz
- 2 cuillères à soupe de sucre en poudre
- 1/2 oignon rouge, tranché finement
- 1 carotte, coupée en allumettes
- 1/2 concombre libanais, épépiné, coupé en allumettes

PRÉPARATION

Pour préparer les légumes, mélangez le vinaigre et le sucre dans une casserole. Porter à ébullition en remuant constamment pour faire fondre le sucre. Réduire le feu à doux et poursuivre la cuisson encore 2 minutes. Retirer du feu et laisser refroidir après avoir ajouté les légumes.

Chauffez les huiles dans un wok à feu vif, puis ajoutez le gingembre, l'ail et le piment et faites sauter pendant quelques secondes. Retirez le poulet et mettez-le dans un bol avec 1/4 tasse (60 ml) d'eau et de sauce soja.

3.Dans 2 grands cuiseurs à vapeur en bambou, disposez les pétoncles sur une seule feuille. Garnir de sauce, puis empiler les cuves à vapeur, couvrir et cuire à la vapeur pendant 5 minutes ou jusqu'à ce qu'elles soient tout juste cuites dans un wok ou une grande casserole d'eau frémissante.

Garnir chaque assiette de quatre pétoncles, de légumes et de coriandre.

SCALLOPINE DE VEAU AVEC SALADE DE FENOUIL ET PARMESAN

Portions: 4

INGRÉDIENTS

- 4 escalopes de veau 150g
- 1 1/2 tasse (225 g) de farine ordinaire, assaisonnée
- 3 tasses (210 g) de chapelure fine d'un jour
- 2 cuillères à soupe de persil plat finement haché
- 1 tasse (80 g) de parmesan finement râpé

- 2 œufs battus avec 1 cuillère à soupe de moutarde de Dijon
- Huile d'olive légère, à frire peu profonde
- Quartiers de citron et purée de pommes de terre
- Parmesan râpé, pour servir
- SALADE DE FENOUIL ET PARMESAN
- 1 oignon rouge, tranché finement
- 1/4 tasse (60 ml) d'huile d'olive
- 2 cuillères à soupe de jus de citron
- 1 bulbe de fenouil (ou 2 petits), tranché finement
- 2 tasses de feuilles de persil plat
- 60g de parmesan, rasé
- 1 tasse de feuilles de radicchio râpées

PRÉPARATION

Pour faire la salade, mettez l'oignon dans un petit bol et couvrez d'eau bouillante pendant 5 minutes. Égoutter et laisser refroidir. Assaisonner de sel et de poivre, puis mélanger avec l'oignon et le reste des ingrédients de la salade. Supprimer de l'équation.

2.Placez le veau entre deux feuilles de pellicule plastique et étalez-le doucement. Sur une casserole, étalez la farine. Dans une autre poêle, mélanger la chapelure, le persil et le parmesan. Le veau est d'abord fariné, puis plongé dans l'œuf, puis en chapelure. Dans une poêle à feu moyen-vif, chauffer l'huile. Cuire le veau par lots pendant 2-3 minutes de chaque main, ou jusqu'à ce qu'il soit doré. À l'aide d'une serviette en papier, absorbez l'excès de liquide. Restez au chaud pendant le reste du repas. Servir avec de la laitue, de la purée de citron et du parmesan.

PÉTONCLES AVEC PEPERONATA ET AIOLI

Portions: 4

INGRÉDIENTS

- Pot de 290g de peperonata
- 2 cuillères à soupe de tomates en purée Ardmona
- 20 pétoncles sans œufs
- 2 cuillères à soupe d'huile d'olive
- 50g de jeunes pousses de salade (mesclun)
- Huile d'olive extra vierge, arroser
- 200g d'aïoli en pot (mayonnaise à l'ail)

PRÉPARATION

Dans une casserole, chauffer la peperonata et la passata à feu doux pendant 2 à 3 minutes ou jusqu'à ce qu'elles soient bien chaudes. Assaisonner avec du poivre noir fraîchement moulu et du sel de mer.

Badigeonner les deux côtés des pétoncles d'huile et assaisonner de sel et de poivre. Faites cuire les pétoncles par lots dans une grande poêle à feu vif pendant 30 secondes de chaque côté jusqu'à ce qu'ils soient dorés mais encore translucides au milieu.

3.Assemblez la peperonata, les pétoncles et les feuilles de salade dans des assiettes de service individuelles. Assaisonner de sel et de poivre, puis arroser d'huile d'olive extra vierge et d'aïoli avant de servir.

PÉTONCLES, ARTICHAUTS DE JÉRUSALEM ET RADICCHIO

Portions: 4

INGRÉDIENTS

- 24 pétoncles frais, œufs attachés
- 8 artichauts de Jérusalem
- Zeste et jus d'un citron
- 100g de beurre non salé
- 2 cuillères à soupe d'huile d'olive extra vierge
- Sel de mer
- 1/2 tasse (125 ml) de verjus
- 2 cuillères à soupe de persil plat fraîchement haché

- 2-3 petites feuilles de radicchio par personne, pour servir

PRÉPARATION

Les pétoncles doivent être lavés en grattant le tube digestif mais pas les œufs. Les artichauts doivent être pelés et tranchés finement dans le sens de la longueur. Pour éviter la décoloration, appliquez un peu de jus de citron. Artichauts qui ne sont pas mouillés.

2.Dans une poêle antiadhésive, faire fondre la moitié du beurre et la moitié de l'huile à feu moyen-vif jusqu'à ce qu'elles soient dorées. Faites frire les artichauts jusqu'à ce qu'ils soient dorés (par lots si nécessaire). Placez le poulet sur une assiette et réservez-le.

3. Assaisonner les pétoncles avec le zeste de citron, le sel et le poivre noir. À feu moyen-vif, faire fondre le reste du beurre et de l'huile dans la poêle et saisir les pétoncles en deux lots (car ils ne doivent pas pocher) jusqu'à ce qu'ils soient dorés d'un côté, puis retourner pour cuire l'autre côté.

4.Utilisez le verjus pour déglacer la dernière casserole de pétoncles. Mélangez les pétoncles, les artichauts et le persil. Assaisonner au goût et, si possible, ajouter un peu plus de jus de citron et d'huile. En feuilles de radicchio, servir.

PÉTONCLES AUX HARICOTS NOIRS ET PIMENT

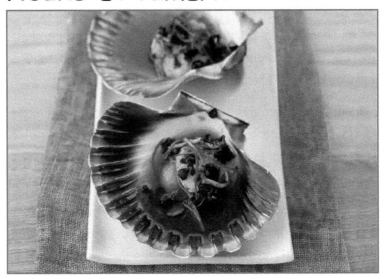

Portions: 4

INGRÉDIENTS

- 3 cuillères à soupe de haricots noirs chinois salés, rincés
- Morceau de 2 cm de gingembre frais, pelé, coupé en allumettes très fines
- 1 cuillère à café de sucre
- 1 cuillère à soupe de vin de riz chinois (shaohsing) ou de xérès sec
- 3 cuillères à soupe (1/4 tasse) de sauce soja
- 1 cuillère à café d'huile de sésame
- 8 pétoncles frais sur la coquille

- 1 long piment rouge, épépiné, tranché très finement dans le sens de la longueur

PRÉPARATION

Faites tremper les haricots dans de l'eau froide pendant environ 5 minutes après chaque mise à jour. La moitié des haricots doit être égouttée et écrasée doucement.

Mélangez les haricots, le gingembre, le sucre, le vin de riz, la sauce soja et l'huile de sésame dans un bol à mélanger. Versez la sauce sur les pétoncles et garnissez de piment.

3. Cuire les pétoncles à la vapeur pendant 4 à 5 minutes, ou jusqu'à ce qu'ils soient tout juste cuits, dans une vapeur sur de l'eau frémissante. Sers immédiatement.

SALADE CHAUDE DE PÉTONCLES ET NOIX

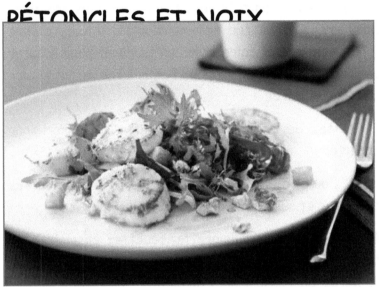

Portions: 6

INGRÉDIENTS

- 5 tranches de pain de bonne qualité
- 1/2 tasse (125 ml) d'huile d'olive, plus 1 à 2 cuillères à soupe supplémentaires pour les croûtons
- 24 pétoncles, œufs enlevés
- 1 cuillère à soupe d'huile de noix
- 2 cuillères à soupe de vinaigre de xérès
- 100g de petites feuilles de salade (mesclun)
- 1 radicchio, feuilles extérieures jetées
- 1 tasse de noix, grillées, hachées

PRÉPARATION

1.Coupez le pain en très petits cubes pour les croûtons. Dans une poêle à feu moyen, chauffer l'huile d'olive supplémentaire et faire frire, en tournant pour assurer une cuisson uniforme, pendant 3-4 minutes, ou jusqu'à ce qu'elle soit dorée.

2. Mettez de côté sur une serviette en papier pour égoutter.

3. À l'aide d'une serviette en papier, éponger les pétoncles et assaisonner de sel et de poivre.

4.Pour préparer la vinaigrette, fouettez ensemble 1/3 tasse (80 ml) d'huile d'olive, l'huile de noix et le vinaigre de xérès, puis assaisonnez au goût.

5.Mettez les feuilles de salade, le radicchio et les noix avec les croûtons dans un plat.

Faites chauffer l'huile restante dans une poêle à feu vif et faites cuire les pétoncles quand elle est très chaude (vous devrez peut-être le faire par lots). Cuire 30 secondes sur l'une ou l'autre main, ou jusqu'à ce qu'elles soient dorées à l'extérieur et opaques au milieu.

7.Placez la salade sur des assiettes de service après l'avoir mélangée avec la vinaigrette. Déposer 4 pétoncles sur chaque assiette et servir tout de suite.

PÉTONCLES AU RIZ ÉPICÉ

Portions: 4

INGRÉDIENTS

- 12 grosses coquilles Saint-Jacques sans œufs
- 2 cuillères à café de poudre de curry doux
- 1/2 cuillère à café de cassonade
- 1 cuillère à soupe d'huile végétale
- 1 tasse de riz basmati
- 1 cuillère à café de curcuma moulu
- 1 tasse de pois surgelés
- 1 piment rouge, épépiné, tranché
- 2 cuillères à soupe de noix de cajou, légèrement grillées
- Cresson, pour garnir (facultatif)

PRÉPARATION

Enrober les pétoncles dans la poudre de curry, la cassonade et la moitié de l'huile végétale dans un récipient en plastique. Placer au réfrigérateur jusqu'au moment de l'utiliser.

Dans une casserole d'eau bouillante salée, mélanger le riz basmati et le curcuma. Cuire, en remuant de temps en temps, pendant 8 minutes à feu moyen-doux ou jusqu'à ce que le riz soit presque terminé. Faites cuire encore une minute après avoir ajouté les petits pois. Remettre le mélange dans la casserole après égouttage. En retrait, protégé.

3.Brosser l'huile végétale restante dans une poêle antiadhésive et la placer sur feu vif. Faites cuire les pétoncles pendant 1 minute de chaque côté lorsque la poêle est chauffée. Placer le riz sur des assiettes de service et garnir des noix de cajou après avoir incorporé les tranches de piment. Servir avec les pétoncles et, si désiré, les feuilles de cresson.

PÉTONCLES CONFITURE AU PIMENT AUX VERTS ASIATIQUES

Portions: 4

INGRÉDIENTS

- 2 bouquets de brocoli chinois (gai lan), parés, coupés en longueurs de 6 cm
- 20 pétoncles sans œufs
- 1 1/2 cuillère à soupe de confiture de piment *
- 2 cuillères à café d'huile d'olive
- 1 petit oignon, tranché finement
- 2 cuillères à café de sauce soja légère

PRÉPARATION

Faites cuire le brocoli chinois pendant 2-3 minutes, à couvert, dans une grande casserole d'eau bouillante jusqu'à ce qu'il soit juste tendre. Égouttez l'eau et mettez-la de côté.

Mélangez les pétoncles avec 1 cuillère à soupe de confiture de piment pendant ce temps. 1 cuillère à café d'huile d'olive 1 cuillère à café d'huile d'olive 1 cuillère à café Lorsque la poêle est chaude, ajoutez les pétoncles et faites cuire 1 minute de chaque main, ou jusqu'à ce qu'elles soient juste cuites. Retirer la poêle du feu et couvrir pour rester au chaud.

3. Réduisez le feu à moyen et appliquez la cuillère à café restante d'huile dans la poêle. Cuire de 3 à 4 minutes ou jusqu'à ce que l'oignon soit ramolli. Incorporer la 1/2 cuillère à soupe de confiture de piment restante et le brocoli pour couvrir. Retirer du feu et appliquer la sauce soja.

4. Placer les légumes dans des bols et garnir de pétoncles.

PÉTONCLES AUX NOUILLES ET SAUCE AUX HUÎTRES

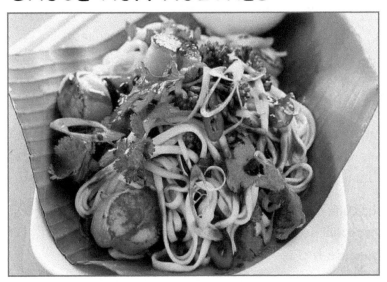

Portions: 4

INGRÉDIENTS

- 200g de nouilles aux œufs
- 2 cuillères à soupe d'huile d'arachide
- 1 bouquet de broccolini, coupé en deux en fleurons et tiges
- 24 pétoncles (sans œufs)
- 2 cuillères à café d'huile de sésame
- 2 cuillères à soupe de sauce aux huîtres, plus un peu pour arroser
- 1 cuillère à café de sauce soja

- 1 cuillère à café de sucre
- 1 long piment rouge, épépiné, tranché finement
- 1/2 bouquet d'oignons verts, tranchés finement en diagonale
- 1 bouquet de coriandre, feuilles cueillies

PRÉPARATION

Faites cuire les nouilles comme indiqué sur l'emballage, puis égouttez-les et mélangez-les avec 1 cuillère à café d'huile d'arachide.

Dans une casserole d'eau bouillante salée, blanchissez les broccolini pendant 1 minute. Égoutter et rincer sous l'eau courante froide.

Nettoyez les pétoncles avec une serviette en papier avant de les badigeonner d'huile de sésame. Dans une grande poêle antiadhésive, chauffer le reste de l'huile d'arachide à feu moyen-vif. Lorsque la poêle est chaude, ajoutez les pétoncles en 6 lots. Cuire 1 minute de chaque main, ou jusqu'à ce que des marques de cuisson apparaissent mais que le centre reste opaque. Placer sur une assiette pour refroidir.

Mélangez la sauce aux huîtres, la sauce soja, le sucre et 2 cuillères à soupe d'eau dans la poêle. Remettre les pétoncles, les nouilles et les broccolini dans la poêle et mélanger rapidement pour faire chauffer. Mélanger le piment, l'oignon nouveau et la coriandre dans un bol à mélanger. Servir immédiatement avec un peu de sauce aux huîtres arrosée sur le dessus.

CEVICHE AU SAUMON ET PÉTONCLES

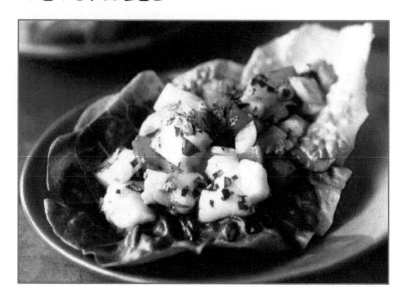

PORTIONS: 6

INGRÉDIENTS

- 400g de filet de saumon désossé
- 300g de pétoncles, les œufs enlevés
- 1 tasse (250 ml) de jus de citron vert frais
- 4 tomates mûres sur vigne, hachées
- 3 longs piments verts, épépinés, hachés finement
- 6 oignons nouveaux, hachés finement
- 1/3 tasse de feuilles de coriandre hachées, plus un supplément pour garnir
- 1/2 concombre télégraphique, pelé, haché

- 1 avocat, chair hachée
- 1/4 tasse (60 ml) d'huile d'olive
- Feuilles de laitue bébé cos (1-2 par personne, selon la taille), à servir

PRÉPARATION

. Coupez les fruits de mer en petits cubes et mélangez-les dans un bol de jus de citron vert. Réfrigérer pendant 4 heures, scellé. Égouttez le jus et assaisonnez avec du sel de mer et du poivre avant d'ajouter la tomate, le piment, l'oignon nouveau, la coriandre, le concombre, l'avocat et l'huile.

Pour manger, superposez le ceviche sur les feuilles de laitue dans des bols. Servir immédiatement, garni de feuilles de coriandre supplémentaires et de quartiers de lime si désiré.

CONCLUSION

FOURNIT DES ACIDES GRAS OMEGA-3

L'une des principales raisons pour lesquelles le poisson est si bon pour nous est qu'il contient des niveaux élevés d'acides gras oméga-3. Dans un monde où la plupart des gens consomment beaucoup trop d'acides gras oméga-6 provenant d'huiles végétales raffinées, de vinaigrettes et d'épices transformées, il est urgent d'augmenter les aliments oméga-3.

Les acides gras oméga-3 agissent comme un contrepoids aux acides gras oméga-6 et aident à réduire l'inflammation en équilibrant les niveaux d'acides gras oméga-3 et oméga-6. Les acides gras oméga-3 sont considérés comme anti-inflammatoires, tandis que les acides gras oméga-6 sont anti-inflammatoires. Nous avons besoin des deux types, mais de nombreuses personnes manquent d'acides gras oméga-3. La consommation de niveaux plus élevés d'oméga-3 a été associée à une meilleure santé mentale, à des taux de triglycérides plus faibles, à une meilleure santé reproductive et à une meilleure fertilité, à un meilleur contrôle hormonal et à un risque plus faible de diabète.

AIDE À RÉDUIRE L'INFLAMMATION

La raison pour laquelle les oméga-3 trouvés dans les poissons sont si précieux est principalement en raison de leur capacité à combattre l'inflammation. Ils aident à contrôler les maladies inflammatoires qui mènent à de nombreuses maladies, notamment le cancer, la polyarthrite rhumatoïde et l'asthme.

Les deux types de graisses polyinsaturées décrites ci-dessus jouent un rôle important dans l'organisme et contribuent à la formation de nos hormones, de nos membranes cellulaires et de nos réponses immunitaires. Mais les acides gras oméga-3 et oméga-6 ont des effets opposés en ce qui concerne l'inflammation. En général, trop d'oméga-6 et trop peu d'oméga-3 provoquent une inflammation. On pense que l'inflammation contribue au développement de maladies chroniques comme le cancer, le diabète, les maladies cardiaques, etc.

FAVORISE LA SANTÉ CARDIAQUE

L'EPA et le DHA sont deux acides gras oméga-3 essentiels pour contrôler l'inflammation et favoriser la santé cardiaque. Des études montrent que la consommation quotidienne d'EPA et de DHA peut aider à réduire le risque de maladie cardiaque et de décès par maladie cardiaque, parfois aussi efficace que les médicaments sur ordonnance comme les statines. La combinaison de nutriments dans les fruits de mer aide également à réguler le rythme cardiaque, à abaisser la tension artérielle et le cholestérol, à réduire la formation de caillots sanguins et à réduire les triglycérides. Tous ces éléments peuvent aider à protéger contre les maladies cardiaques et les accidents vasculaires cérébraux.

PEUT AIDER À PROTÉGER CONTRE LE CANCER

La recherche montre que manger plus de poisson et de fruits de mer riches en oméga-3 profite au système immunitaire et aide à combattre le cancer en supprimant l'inflammation. Alors qu'un régime végétarien a été associé à une incidence plus faible de certains types de cancer (comme le cancer du côlon), le pescatarianisme est associé à un risque encore plus faible par rapport aux végétariens et non végétariens, selon certaines études.

Plusieurs études suggèrent également que consommer beaucoup d'acides gras oméga-3 peut aider les personnes déjà diagnostiquées avec un cancer en arrêtant la croissance tumorale. Un mode de vie pescatarian riche en oméga-3 peut également aider les personnes subissant une chimiothérapie ou d'autres traitements contre le cancer, car ils aident à maintenir la masse musculaire et à réguler les réponses inflammatoires déjà compromises chez les patients cancéreux.

DÉCLIN COGNITIF DE COMBATS

Les acides gras oméga-3 comme le DHA sont essentiels au bon développement du cerveau et au maintien des fonctions cognitives chez les personnes âgées. De nombreuses études ont montré que de faibles taux d'oméga-3 chez les personnes âgées sont liés à plusieurs marqueurs de dysfonctionnement cérébral, notamment la démence ou la maladie d'Alzheimer. Des niveaux plus faibles d'oméga-3 pendant la grossesse ont même été associés à des enfants qui ont des scores inférieurs aux tests de mémoire et des difficultés d'apprentissage.

BOOSTE L'HUMEUR

Parce qu'ils combattent le stress oxydatif, qui affecte le bon fonctionnement du cerveau, les oméga-3 du poisson et des fruits de mer ont été associés à une meilleure santé mentale et à un risque moindre de démence, de dépression, d'anxiété et de TDAH. Cela signifie qu'un régime Pescatarian peut être un remède naturel contre l'anxiété et aider à gérer les symptômes du TDAH tout en combattant les symptômes de la dépression.

SOUTIENT LA PERTE DE POIDS

De nombreuses personnes ont commencé à utiliser le régime Pescatarian pour perdre du poids, et pour une bonne raison. Une faible consommation d'acides gras oméga-3 a été associée à l'obésité et à la prise de poids. Des études montrent également que les personnes qui consomment plus d'aliments à base de plantes (y compris les végétariens) ont tendance à avoir un IMC plus bas et une meilleure gestion du poids, probablement parce qu'elles mangent plus de fibres et moins de calories.

De plus, des protéines et des graisses saines sont essentielles pour se sentir rassasié, et de nombreux nutriments contenus dans les poissons peuvent aider à réduire les fringales. Quel que soit votre régime alimentaire, visez un apport élevé en fruits, légumes, protéines de haute qualité, graisses saines, graines, noix, fibres et composés phytochimiques. Tous ces éléments peuvent vous aider à perdre du poids rapidement et à ne pas le reprendre.

Le livre de recettes pour la cuisson du poisson vraiment sain

50 recettes fraîches et délicieuses

Adriana Lacroix

Tous les droits sont réservés.

Avertissement

Les informations contenues dans i sont destinées à servir de collection complète de stratégies sur lesquelles l'auteur de cet eBook a effectué des recherches. Les résumés, stratégies, trucs et astuces ne sont que des recommandations de l'auteur, et la lecture de cet eBook ne garantira pas que les résultats refléteront exactement les résultats de l'auteur. L'auteur de l'eBook a fait tous les efforts raisonnables pour fournir des informations actuelles et exactes aux lecteurs de l'eBook. L'auteur et ses associés ne seront pas tenus responsables de toute erreur ou omission involontaire qui pourrait être trouvée. Le contenu de l'eBook peut inclure des informations provenant de tiers. Les documents de tiers comprennent les opinions exprimées par leurs propriétaires. En tant que tel, l'auteur de l'eBook n'assume aucune responsabilité pour tout matériel ou avis de tiers.

INTRODUCTION

Un régime pescatarian est un régime végétarien flexible qui comprend du poisson et d'autres fruits de mer. Lorsque vous ajoutez du poisson à un régime végétarien, vous bénéficiez des avantages suivants:

Les protéines de poisson augmentent la satiété par

rapport au bœuf et au poulet. Cela signifie que vous

vous sentirez rassasié rapidement et ne mangerez pas

trop. Si vous cherchez à perdre quelques kilos, c'est le

bon moment pour commencer à suivre un régime

pescatarian.

Le calcium est extrêmement important pour la santé de vos os. Le simple fait de manger des légumes ne fournit pas suffisamment de calcium à votre corps. Mais ajouter du poisson à un régime végétarien

Les poissons gras sont d'excellentes sources d'acides gras oméga-3. Ces acides aident à réduire l'inflammation dans le corps, ce qui, à son tour, réduit le risque d'obésité, de diabète et de maladie cardiaque.

Par rapport à d'autres protéines animales, la consommation de poisson contribue moins aux émissions de gaz à effet de serre. Ainsi, vous pouvez protéger l'environnement et votre santé.

Pour certains, manger des légumes, des fruits et des noix peut être ennuyeux. L'ajout de poisson ou de tout autre fruit de mer contribue à améliorer le goût et l'ambiance générale du déjeuner et / ou du dîner.

De nombreuses personnes sont allergiques aux œufs, intolérantes au lactose ou souhaitent éviter de manger de la viande ou des produits laitiers. Pour eux, le poisson peut être une bonne source de protéines complètes, de calcium et de graisses saines.

QUE MANGEENT LES PESCATARIENS?

FRUITS DE MER: Maquereau, bar, aiglefin, saumon, thon, Hilsa, sardines, pomfret, carpes, morue, caviar, moules, écrevisses, huîtres, crevettes, homard, crabe, calamars et pétoncles.

LÉGUMES: épinards, blettes, radis, carottes, bengale, betterave, carotte, brocoli, chou-fleur, chou, chou chinois, patate douce, radis, navet, panais, chou frisé, concombre et tomate.

FRUITS: Pomme, banane, avocat, fraises, mûres, mûres, myrtilles, groseilles à maquereau, ananas, papaye, fruit du dragon, fruit de la passion, pastèque, melon d'eau, goyave, pêche, poire, pluot, prune et mangue.

PROTÉINES: haricots rouges, lentilles, poisson, champignon, gramme du Bengale, germes, pois aux yeux noirs, niébé, pois chiches, soja, lait de soja, edamame et tofu.

GRAINS ENTIERS: Riz brun, orge, blé concassé, sorgho, pain multigrains et farine multigrains.

GRAISSES ET HUILES: Huile d'olive, huile d'avocat, huile de poisson, ghee, beurre de tournesol et huile de son de riz.

Graines de noix   Amandes, noix, pistaches, macadamia, pignons de pin, noisettes, graines de tournesol, graines de melon, graines de citrouille, graines de chia et graines de lin.

Herbes et épices   Coriandre, aneth, fenouil, persil, origan, thym, feuille de laurier, flocons de piment, poudre de chili, poudre de piment rouge du Cachemire, curcuma, coriandre, cumin, graines de moutarde, moutarde anglaise, pâte de moutarde, anis étoilé, safran, cardamome, clou de girofle, ail, cannelle, gingembre, macis, muscade, piment de la Jamaïque, oignon en poudre, ail en poudre et gingembre en poudre.

BOISSONS: Eau, eau de coco, eau détox et jus de fruits / légumes fraîchement pressés.

Avec ces ingrédients, vous pouvez facilement élaborer un régime alimentaire équilibré sur le plan nutritionnel. Jetez un œil à cet exemple de plan de régime pescatarian.

SALADE DE FRUIT DE MER

Portions: 6

INGRÉDIENTS

- 300g de pâtes orecchiette
- 1 petite aubergine, coupée en morceaux de 1 cm
- 1 oignon rouge, coupé en quartiers
- 1 poivron rouge, coupé en morceaux de 1 cm
- 2 gousses d'ail hachées
- 1/2 tasse (125 ml) d'huile d'olive extra vierge
- 250g de tomates cerises en barquette, coupées en deux
- 1/3 tasse (80 ml) de vin blanc
- 500g de moules prêtes à l'emploi

- 6 petits calamars, nettoyés, coupés en anneaux, tentacules réservés
- 1 cuillère à soupe de vinaigre de vin blanc
- 1 cuillère à soupe de pâte de tomate pimentée
- 1/3 tasse de persil plat haché
- 1/4 tasse (35 g) de tomates semi-séchées hachées
- Feuilles de roquette, pour servir

PRÉPARATION

Préchauffer le four à 220 degrés Celsius et tapisser une plaque à pâtisserie de papier d'aluminium.

Égouttez et réhydratez les pâtes selon les instructions sur l'emballage.

Assaisonnez l'aubergine, l'oignon et le poivron avec l'ail et 2 cuillères à soupe d'huile. Cuire 15 minutes, ou jusqu'à ce qu'elles soient tendres, sur la plaque à pâtisserie recouverte. Cuire encore 6 à 8 minutes ou jusqu'à ce que les tomates soient ramollies.

Porter le vin à ébullition dans une grande casserole à feu moyen-vif. Couvrir avec un couvercle et cuire 3 minutes ou jusqu'à ce que toutes les moules soient ouvertes. Retirez les moules de leur coquille, en en laissant quelques-unes pour la décoration.

Dans une grande poêle, faites chauffer 1 cuillère à soupe d'huile à feu vif. Assaisonnez les calamars et faites-les frire pendant 1 minute, en les retournant une fois, ou jusqu'à ce qu'ils soient dorés. Supprimer de l'équation.

Dans un bol à mélanger, mélanger le vinaigre, la pâte de tomate et le persil avec les 65 ml d'huile restants. C'est le moment de l'année. Pour manger, jetez les fruits de mer, les légumes rôtis, la tomate semi-séchée et la roquette dans un bol avec la vinaigrette.

FRUITS DE MER RÔTIES AU CITRON ET AUX HERBES

Portions: 4

INGRÉDIENTS

- 8 langoustines, coupées en deux, nettoyées
- 8 grosses crevettes vertes
- 8 pétoncles sur la demi-coquille
- 1/4 tasse (60 ml) d'huile d'olive
- 2 gousses d'ail, hachées finement
- Zeste finement râpé et jus d'un citron, plus quartiers de citron à servir
- 2 cuillères à soupe de thym citron ou de thym haché

- 2 cuillères à soupe de persil plat haché

PRÉPARATION

Préchauffer le four à 200 ° C ou 400 ° C si vous utilisez un four à bois.

Disposez les fruits de mer en une seule couche dans un grand plat allant au four. Mélanger l'huile, l'ail, le zeste, le jus et le thym dans une tasse, puis badigeonner le mélange sur les fruits de mer et assaisonner. Cuire au four 10 minutes (ou 5 à 7 minutes au centre d'un four à bois) ou jusqu'à ce que les fruits de mer soient cuits. Servir avec des quartiers de citron et une pincée de persil.

COCKTAIL AUX FRUITS DE MER DE CREVETTE ROYALE, AVOCAT ET BASILIC

Portions: 4

INGRÉDIENTS

- 1 carotte, pelée et coupée en dés
- 600g de crevettes royales cuites, pelées et déveinées
- 3 oignons nouveaux, tranchés finement (partie verte seulement)
- 1/2 concombre, pelé, épépiné et coupé en cubes de 5 mm

- 1 avocat, coupé en petits dés
- 2 cuillères à soupe de câpres, hachées grossièrement
- Zeste râpé d'un citron vert
- 18 g de vrilles de pois mange-tout
- PANSEMENT
- 1 cuillère à soupe de jus de citron vert
- 2 cuillères à soupe de verjus
- 1 cuillère à soupe de mayonnaise
- 1 cuillère à soupe d'huile d'olive
- 4 cuillères à soupe de basilic frais haché

PRÉPARATION

Pour préparer la vinaigrette, fouetter ensemble tous les ingrédients (sauf le basilic) dans un bol à mélanger. Mettre de côté après l'assaisonnement avec du sel et du poivre.

Cuire les carrés de carottes pendant 3 minutes dans l'eau bouillante. Rincer à l'eau froide après la vidange. 4 crevettes sont mises de côté et laissées entières. Mélanger les crevettes, les carottes, les oignons nouveaux, le concombre, l'avocat, les câpres et le zeste de lime dans un bol à mélanger.

FRUTTA DI MARE ALL'ACQUA PAZZA (FRUITS DE MER DANS L'EAU FOLLE)

Portions: 6

INGRÉDIENTS

- 1 tasse (250 ml) de vin blanc sec
- 400g de moules, frottées, ébarbées
- 1/3 tasse (80 ml) d'huile d'olive
- 3 gousses d'ail, hachées finement
- 1/4 cuillère à café de flocons de piment séchés
- Boîte de 400g de tomates classiques riches et épaisses Ardmona

- 2 feuilles de laurier
- 1 branche de thym
- 6 x 80g de petits poissons entiers (tels que des orbes ou des merlan), nettoyés
- 2 filets de rouget de 80 g, coupés en 3 morceaux
- 6 crevettes vertes, pelées (queues intactes), déveinées
- 3 petits calamars entiers (voir note), nettoyés, tubes et tentacules séparés
- 2 cuillères à soupe de persil plat finement haché

PRÉPARATION

Placer le vin dans une grande casserole et porter à ébullition à feu moyen-vif. Mettez de côté après avoir filtré et réservé le liquide de cuisson.

Dans une grande poêle, chauffer 2 cuillères à soupe d'huile à feu moyen. Cuire, en remuant constamment, pendant 2-3 minutes, jusqu'à ce que l'ail et le piment soient ramollis et parfumés. Incorporer les tomates, les feuilles de laurier, le thym et le liquide de moules mis de côté. Réduire le feu à doux et poursuivre la cuisson pendant 3-4 minutes ou jusqu'à ce que le liquide ait légèrement réduit. Assaisonnez les moules avec du sel de mer et du poivre fraîchement moulu dans la poêle, puis couvrez et réservez au chaud.

En attendant, assaisonnez les fruits de mer restants. Dans une grande poêle, chauffer les 2 cuillères à soupe d'huile restantes à feu moyen-vif. Faites cuire le poisson entier par lots si nécessaire pendant 2-3

minutes de chaque côté jusqu'à ce qu'il soit juste cuit,
puis retirez-le et réservez. Cuire le rouget et les
crevettes séparément pendant 1 minute de chaque côté
jusqu'à ce qu'ils soient bien cuits, puis réserver. Cuire
30 secondes, en remuant continuellement, jusqu'à ce
que les calmars soient juste cuits. Versez le bouillon
chaud sur les moules et répartissez les fruits de mer
dans des bols de service. Servir avec une pincée de
persil.

SOPA DE ARROZ Y PESCADO (SOUPE DE RIZ ET DE FRUITS DE MER)

Portions: 4

INGRÉDIENTS

- 1/4 tasse (60 ml) d'huile d'olive
- 1 oignon, haché finement
- 2 gousses d'ail hachées
- 1 chorizo frais, pelé, haché
- 1 carotte, hachée
- 1 cuillère à café de zeste d'orange râpé
- 2L de bouillon de poisson ou de poulet

- 400g de tomates hachées
- 1/3 tasse (75 g) de riz Calasparra ou arborio
- 200g de filet de saumon sans peau, désossé, coupé en cubes de 2 cm
- 2 petits tubes de calmar, nettoyés, coupés en rondelles
- 12 crevettes vertes, pelées (queues intactes), déveinées
- 2 cuillères à soupe de persil plat haché
- Œuf dur haché, pour garnir

PRÉPARATION

Dans une grande casserole, chauffer 2 cuillères à soupe d'huile à feu moyen. Mélanger l'oignon, l'ail, le chorizo, la carotte et le zeste dans un grand bol à mélanger. Cuire, en remuant régulièrement, pendant 10 minutes ou jusqu'à ce que les légumes soient ramollis et que le chorizo commence à croustiller. Porter à ébullition le bouillon, la tomate et le riz, puis réduire à feu doux et cuire 15 minutes ou jusqu'à ce que le riz soit al dente.

Dans une grande poêle, chauffer 1 cuillère à soupe d'huile restante à feu vif. Assaisonner les fruits de mer et cuire 1 minute, par lots si nécessaire, jusqu'à ce qu'ils soient juste opaques. Incorporer les fruits de mer à la soupe et cuire encore une minute ou jusqu'à ce qu'ils soient bien chauffés. Verser dans des bols et garnir de persil et d'un œuf, si désiré.

SALADE DE FRUITS DE MER

Portions: 4

INGRÉDIENTS

- 1kg de moules
- 200 ml de vin blanc sec
- 1 cuillère à soupe de vinaigre de xérès ou de vinaigre de vin rouge
- 2 cuillères à soupe d'huile d'olive extra vierge
- 1 gousse d'ail écrasée
- 1 poivron vert, haché finement
- 1 oignon rouge, tranché finement

- 250g de tomates cerises en barquette, coupées en deux
- 1/4 tasse de brins de coriandre
- 1 cuillère à soupe d'huile d'olive
- 1/2 saucisse chorizo, tranchée finement en rondelles
- 12 pétoncles (sans œufs)
- 1 cuillère à café de paprika fumé (pimenton)
- Riz au safran (facultatif) et quartiers de citron, pour servir

PRÉPARATION

Faites tremper les moules pendant une heure dans de l'eau froide, en ajustant l'eau deux fois (cela aide à éliminer les grains). Égouttez les moules à coquille fendue ou celles qui ne se ferment pas lorsqu'elles sont frappées brusquement sur le banc. Frottez bien et rasez les barbes.

Dans une casserole à feu moyen-vif, porter le vin à ébullition, puis laisser mijoter 1 minute. Ajouter les moules, couvrir et cuire 2 minutes à feu moyen. Retirez les moules ouvertes. Cuire encore une minute ou jusqu'à ce que toutes les moules se soient ouvertes. Retirez le liquide de la passoire et mettez-le de côté.

Fouetter ensemble le vinaigre, l'huile extra vierge et l'ail dans un bol à mélanger avec 2-3 cuillères à soupe du liquide de moules réservé. Incorporer le poivron, le chou, la tomate et la coriandre pour mélanger.

Dans une grande poêle, chauffer l'huile d'olive à feu moyen-vif. Cuire 1 minute de chaque main, ou jusqu'à ce que le chorizo soit doré et que les pétoncles soient dorés. Servir avec la salade et le riz au safran, le cas échéant, après avoir mélangé les moules avec les pétoncles, le chorizo et le jus de cuisson. Servir avec un filet de citron et une pincée de paprika.

COQUILLAGES GRILLÉS À LA VINAIGRETTE DE SHERRY

Portions: 8

INGRÉDIENTS

- 1kg de moules, frottées, ébarbées
- 600g de petits calamars entiers, nettoyés, tentacules et tubes séparés
- 2 cuillères à soupe d'huile d'olive
- 2 tomates
- 1kg de crevettes cuites, pelées, déveinées, coupées en deux dans le sens de la longueur
- 2 cuillères à soupe de persil plat haché
- 1 oignon rouge, tranché finement

- 1 poivron vert, haché finement
- 1 poivron rouge, haché finement
- 4 oignons nouveaux, tranchés finement en biais
- Pain croustillant, pour servir (facultatif)
- VINAIGRETTE
- 1/2 tasse (125 ml) d'huile d'olive extra vierge
- 2 cuillères à soupe de vinaigre de xérès * ou de vinaigre de vin rouge
- 2 gousses d'ail écrasées

PRÉPARATION

Toutes les moules dont la coquille est fendue ou celles qui ne se ferment pas après un coup sec sur le banc doivent être jetées.

Placer les moules et 2 cuillères à soupe d'eau dans une grande casserole profonde à feu vif, couvrir et cuire 2-3 minutes, en secouant la casserole et en remuant bien après environ 1 minute, en les retirant au fur et à mesure qu'elles s'ouvrent. Cuire encore une minute ou jusqu'à ce que toutes les moules se soient ouvertes. Retirer du soleil, égoutter et laisser refroidir. Retirer les moules des coquilles et les placer dans un grand bol à mélanger jusqu'à ce qu'elles soient suffisamment froides pour être traitées. En retrait, protégé.

Pendant ce temps, divisez les tubes de calmar en anneaux de 1 cm et coupez en deux les gros bouquets de tentacules sur la longueur. Dans une grande poêle, faites chauffer 1 cuillère à soupe d'huile à feu vif. Cuire, en remuant périodiquement, pendant environ 2 minutes, ou jusqu'à ce que les calmars soient légèrement caramélisés et bien cuits. Assaisonner avec du poivre noir fraîchement moulu et du sel de mer, puis passer dans une assiette pour refroidir. En utilisant l'huile restante et les calmars, répétez le processus.

Dans la base de chaque tomate, faites une petite croix. Blanchir 20 secondes dans une grande casserole d'eau bouillante, puis laisser refroidir 30 secondes dans un bol d'eau glacée. Après avoir épluché les tomates, coupez-les en quartiers et coupez les graines. Placer dans le bol avec les moules après les avoir tranchées en lanières.

Mélangez les moules avec les crevettes, les calmars, le persil, l'oignon rouge, le poivron et l'oignon nouveau, puis mélangez doucement pour mélanger. Couvrir et réfrigérer pendant au moins 15 minutes - la salade peut être réfrigérée jusqu'à 2 heures à ce stade.

MARISCOS FRITOS (FRUITS DE MER MIXTES) AVEC ROMESCO SAUCE

Portions: 8

INGRÉDIENTS

- Huile de tournesol, à frire
- 600g de petits calamars entiers, nettoyés, tentacules et tubes séparés
- 400g de filets de John Dory, coupés en morceaux de 5 cm
- 16 crevettes vertes pelées (queues intactes), déveinées

- Semoule fine *, à enrober
- Quartiers de citron, pour servir
- Sauce romesco (donne 300 ml)
- 2 tomates mûres sur vigne, coupées en deux
- 8 noisettes
- 1/2 tasse (125 ml) d'huile d'olive
- 1 tranche de pain blanc d'un jour, croûte enlevée, déchirée
- 4 gousses d'ail hachées
- 1 1/2 c. À thé de flocons de piment séchés
- 1 cuillère à soupe de vinaigre de xérès * ou de vinaigre de vin rouge

PRÉPARATION

Préchauffez le four à 200 degrés Celsius. Placez les tomates côté coupé vers le haut dans une petite rôtissoire pour la sauce romesco. Assaisonner de sel et de poivre et cuire au four pendant 25 minutes, ou jusqu'à ce qu'ils soient tendres. Placer les noix sur une plaque à pâtisserie et les faire griller légèrement au four pendant les 5 dernières minutes de cuisson.

Laisser refroidir les tomates avant de les peler. Retirez la peau des noix en les frottant dans un torchon propre. Dans une autre poêle, chauffer 2 cuillères à soupe d'huile à feu moyen. Ajouter le pain et cuire 3-4 minutes, en tournant une fois, jusqu'à ce qu'il soit doré, en ajoutant l'ail pendant les 2 dernières minutes. Laisser refroidir légèrement avant de transférer dans un robot culinaire. Ajouter les tomates, les noix, le piment, le vinaigre, 1/3 tasse d'huile d'olive restante,

1/2 cuillère à café de sel et une pincée de poivre noir. Mélanger jusqu'à ce que le tout soit parfaitement lisse. (La sauce peut être réfrigérée jusqu'à deux jours.)

Faites chauffer une friteuse ou une grande casserole profonde à moitié remplie d'huile de tournesol à 190 ° C (un cube de pain deviendra doré en 30 secondes lorsque l'huile sera suffisamment chaude).

4.Coupez les tubes de calmar en tranches de 1 cm, puis coupez en deux les grosses grappes de tentacules dans le sens de la longueur. Tous les poissons doivent être bien assaisonnés. En travaillant avec quatre morceaux à la fois, recouvrez complètement de semoule et secouez les déchets.

Faites frire un quart du poisson et des crevettes pendant 1 minute ou jusqu'à ce qu'ils soient dorés. Égoutter sur du papier absorbant pendant quelques minutes avant de disposer sur une assiette. Faire frire un quart des calmars pendant 30 secondes, jusqu'à ce qu'ils soient dorés et croustillants, puis égoutter sur du papier absorbant avant de servir. Servir avec des quartiers de citron et de la sauce romesco tout de suite.

SOUPE MEXICAINE AUX

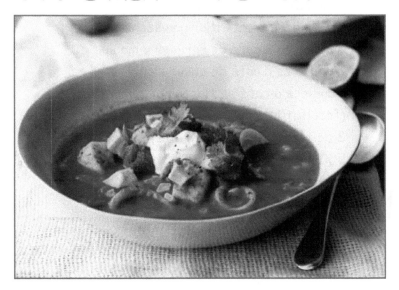

Portions: 4

INGRÉDIENTS

- 1/4 tasse (60 ml) d'huile d'olive
- 500g de mélange marinara aux fruits de mer de bonne qualité
- 1 cuillère à café de paprika fumé (pimenton) (voir note)
- 1 oignon, haché finement
- 2 gousses d'ail, tranchées
- 1 poivron rouge, tranché finement

- 2 piments jalapeno ou longs piments verts, épépinés, finement hachés
- 1/2 cuillère à café d'origan séché
- 3 cuillères à café de coriandre moulue
- 3 cuillères à café de cumin moulu
- 1 cuillère à café de flocons de piment (facultatif)
- 2 boîtes de 400g de tomates hachées
- 500 ml de bouillon de poisson ou de poulet de bonne qualité
- 2 épis de maïs
- Zeste râpé et jus de 1 citron vert
- Crème sure, avocat haché, feuilles de coriandre et tortillas grillées, pour servir

PRÉPARATION

Dans une grande poêle, chauffer l'huile à feu vif. Mélangez les fruits de mer avec la moitié du paprika dans un bol, assaisonnez et faites cuire pendant 2-3 minutes, en tournant une fois, jusqu'à ce que les fruits de mer soient légèrement saisis et juste cuits. Sortez les fruits de mer de la poêle et mettez-les de côté.

Ajouter l'oignon dans la poêle et cuire 1 à 2 minutes, en remuant de temps en temps, jusqu'à ce qu'il soit ramolli. Cuire, en remuant constamment, pendant 2 minutes, jusqu'à ce que l'ail, le poivron, le piment, les herbes séchées, les épices et la 1/2 cuillère à café de paprika restante soient tendres. Réduire le feu à moyen-doux et ajouter la tomate et le bouillon. Laisser mijoter, en remuant régulièrement, de 12 à 15 minutes ou jusqu'à ce que le tout épaississe légèrement.

3. couper les grains de maïs des épis. Appliquez les grains sur la soupe avec les fruits de mer cuits. Pour réchauffer, laisser mijoter 2 minutes. Retirez la casserole du feu et ajoutez le zeste et le jus de citron vert. C'est le moment de l'année.

4.Servir la soupe dans quatre bols avec de la crème sure, de l'avocat, de la coriandre et des tortillas molles.

CURRY DE FRUITS DE MER)

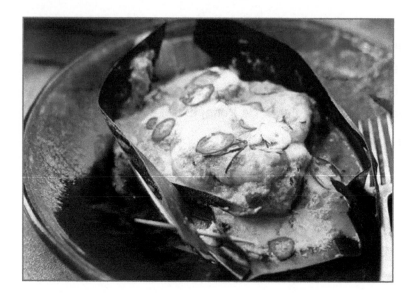

Portions: 4

INGRÉDIENTS

- 2 piments rouges séchés, trempés dans de l'eau bouillante, égouttés, hachés
- 3 gousses d'ail hachées
- 1 cuillère à soupe de curcuma frais râpé
- 2 cuillères à soupe de galanga râpé
- 2 tiges de citronnelle (noyau intérieur uniquement), râpées
- 2 échalots, hachés
- Zeste finement râpé d'un citron vert
- 1 cuillère à soupe de pâte de crevettes
- 1/4 tasse (65 g) de sucre de palme râpé

- 6 feuilles de lime kaffir, finement râpées
- 400 ml de lait de coco
- 400g de filet yeux bleus sans peau, coupé en morceaux de 3 à 4 cm
- 12 crevettes vertes, pelées (queues intactes), déveinées
- 2 feuilles de bananier
- 1 long piment rouge, tranché finement
- Riz cuit à la vapeur, pour servir

PRÉPARATION

Dans un mortier et un pilon ou un petit robot culinaire, piler ou fouetter le piment, l'ail, le curcuma, le galanga, la citronnelle, l'eschalot, le zeste de citron vert, la pâte de crevettes, le sucre de palme, la moitié des feuilles de lime kaffir et 2 cuillères à café de sel jusqu'à une amende coller des formulaires.

Transférer la pâte dans une poêle de taille moyenne et cuire, en remuant continuellement, pendant 3 à 4 minutes ou jusqu'à ce qu'elle soit parfumée. Faites mijoter le lait de coco en réservant 2 cuillères à soupe pour le service. Retirer du soleil, verser dans une tasse et laisser refroidir légèrement. Incorporer les fruits de mer pour mélanger.

Ragoût de fruits de mer à la rouille

Portions: 4

INGRÉDIENTS

- 20 ml (1 cuillère à soupe) d'huile d'olive
- 1 oignon, tranché finement
- 2 gousses d'ail écrasées
- 400g de pommes de terre Kipfler, pelées et tranchées
- 1/2 cuillère à café de safran
- 250 ml (1 tasse) de vin blanc
- 2 cuillères à soupe de concentré de tomates séchées au soleil

- 400g de tomates concassées
- 300 ml de bouillon de poisson
- 1 cuillère à soupe de romarin frais haché
- 300g de filet de poisson blanc ferme, coupé en morceaux
- 400g de moules noires, frottées, barbus
- Baguette grillée, pour servir

ROUILLE

- 1 poivron rouge rôti
- 1 pomme de terre, pelée, bouillie, coupée en dés
- 2 gousses d'ail hachées
- 1 jaune d'oeuf
- 125 ml (1/2 tasse) d'huile d'olive

PRÉPARATION

Dans une grande poêle, chauffer l'huile à feu moyen. Cuire 1 minute ou jusqu'à ce que l'oignon soit ramolli. Laisser mijoter 2 minutes après avoir ajouté l'ail, la pomme de terre, le safran et le vin. Cuire 15 minutes après avoir ajouté la pâte de tomate, les oignons, le bouillon et le romarin.

2. Assaisonnez le poivron, la pomme de terre, l'ail et le jaune d'oeuf avec du sel et du poivre dans un robot culinaire pour faire la rouille. Après avoir mélangé les ingrédients, ajoutez un filet d'huile en un filet régulier jusqu'à ce que vous obteniez une émulsion lisse.

3 Saler et poivrer le ragoût avant d'ajouter le poisson et les moules. Cuire encore 5 minutes à couvert. Retirez

le couvercle et jetez les moules qui ne se sont pas ouvertes. Servir avec une baguette grillée et une cuillerée de rouille sur le ragoût.

BISQUE AUX FRUITS DE MER

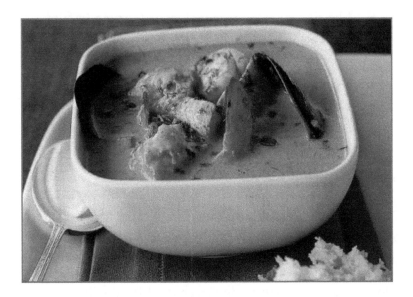

Portions: 6

INGRÉDIENTS

- 1 cuillère à soupe d'huile d'olive extra vierge
- 1 cuillère à soupe de beurre non salé
- 1 gros oignon, haché finement
- 1 branche de céleri moyenne, hachée finement
- 2 cuillères à soupe de farine tout usage
- 1/2 cuillère à café de poivre de Cayenne
- 2 cuillères à café de paprika
- 1 cuillère à soupe de concentré de tomate
- 1L (4 tasses) de fumet de poisson
- 250 ml (1 tasse) de vin blanc

- 400g de crevettes vertes, décortiquées, queues dessus, déveinées
- 1 kg de fruits de mer mélangés (comme le filet de poisson blanc coupé en cubes de 2 cm, les moules, les calamars et les pétoncles)
- 2-3 cuillères à café de jus de citron
- 100 ml de crème fine
- 1 cuillère à soupe de persil plat haché
- Pain croustillant, pour servir

PRÉPARATION

Dans une petite casserole, chauffer l'huile et le beurre à feu moyen-doux. Laisser mijoter 2 à 3 minutes ou jusqu'à ce que l'oignon et le céleri soient ramollis.

Ajoutez le riz, le poivre de Cayenne et le paprika et faites cuire 1 à 2 minutes en remuant constamment. Faites cuire encore une minute après avoir ajouté la pâte de tomate.

3.Ajouter le fumet de poisson progressivement, puis réduire le feu à doux et cuire 5 minutes. Laisser refroidir légèrement avant de mélanger par lots et de retourner dans la casserole.

Faites bouillir le vin blanc et 250 ml d'eau dans une casserole à feu moyen-doux. Couvrir et cuire 5 minutes avec les crevettes et les fruits de mer. À l'aide d'une passoire, séparez le liquide des fruits de mer. (Assurez-vous de jeter toutes les moules qui ne se sont pas ouvertes.)

5.Réchauffez doucement la soupe, puis ajoutez le poisson cuit, le jus de citron et la crème. Pour mélanger, remuez le tout.

Répartir la bisque dans des bols et garnir de persil plat haché et de beaucoup de pain croustillant.

COCKTAIL AUX FRUITS DE MER TROPICAUX

Portions: 6

INGRÉDIENTS

- 200 ml de lait de coco
- 1 cuillère à soupe de gingembre frais râpé
- 1 tige de citronnelle (partie pâle uniquement), hachée finement
- 1 long piment rouge, épépiné, haché finement
- 150g de yaourt à la grecque épais
- 2 cuillères à soupe de feuilles de menthe finement hachées, plus des feuilles supplémentaires à servir

- Zeste râpé et jus de 1 lime, plus quartiers de lime supplémentaires à servir
- 300g de petites crevettes cuites, pelées
- 1 petit homard cuit, coupé en deux, viande coupée en cubes de 2 cm
- 200g de chair de crabe fraîche
- 1/4 petite laitue iceberg, râpée

PRÉPARATION

1. Dans une casserole, mélanger le lait de coco, le gingembre, la citronnelle et la moitié du piment. Porter à ébullition à feu moyen, puis réduire à feu doux et poursuivre la cuisson 2 minutes, ou jusqu'à ce que la sauce épaississe (elle sera assez épaisse). Laisser infuser 30 minutes avant de filtrer dans un grand bol et d'appuyer sur les solides. Après avoir jeté les solides, mélanger le yaourt, la menthe, le zeste et le jus de lime et le piment restant dans un bol à mélanger.

Mélangez les crevettes, le homard et la chair de crabe dans la vinaigrette à la noix de coco jusqu'à ce qu'ils soient complètement enrobés. Pour servir, diviser la laitue dans 6 verres de service réfrigérés, garnir du mélange de fruits de mer et garnir de quartiers de menthe et de lime supplémentaires.

FRUITS DE MER BARBECUES ET MASH À LA TRUFFE

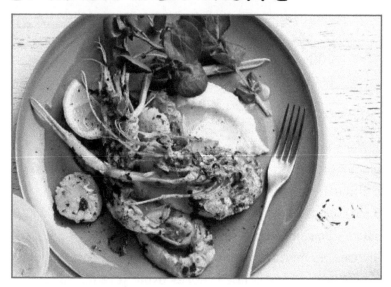

Portions: 4

INGRÉDIENTS

- 1/4 tasse (60 ml) d'huile d'olive
- 3 gousses d'ail écrasées
- 2 cuillères à soupe de persil plat haché
- Le zeste râpé et le jus d'un citron, plus des quartiers de citron à servir
- 4 langoustines (voir note), coupées en deux dans le sens de la longueur, nettoyées
- 8 grosses crevettes vertes, pelées (têtes et queues intactes), déveinées

176

- 8 grosses coquilles Saint-Jacques sans œufs
- 1 à 2 cuillères à café de sel de truffe (voir note) (facultatif)
- Brins de cresson habillés, pour servir

MASH TRUFFÉ

- 500g de pommes de terre Pontiac ou Desiree, pelées
- 80g de beurre non salé
- 50 ml de crème épaissie
- 1 cuillère à soupe d'huile de truffe (voir note), plus un peu pour arroser

PRÉPARATION

1Dans un grand bol, mélanger l'huile d'olive, l'ail, le persil, le zeste et le jus de citron. Retourner les langoustines, les crevettes et les pétoncles dans le mélange pour les enrober, puis couvrir et réfrigérer pendant que vous faites la purée truffée.

Pour faire la purée, cuire à la vapeur ou faire bouillir les pommes de terre jusqu'à ce qu'elles soient tendres dans de l'eau salée pendant 8 à 10 minutes. Égoutter et écraser jusqu'à consistance lisse avec un presse-pommes de terre ou une fourchette. Incorporer le beurre, le lait et l'huile de truffe, puis assaisonner avec du sel de mer et du poivre noir fraîchement moulu au goût. Gardez au chaud en couvrant.

3. Chauffer une poêle à charbon ou un barbecue à feu moyen-vif. Cuire les crevettes et les langoustines

pendant 2 minutes de chaque côté, par lots si nécessaire, jusqu'à ce qu'elles soient bien cuites. Ajouter les pétoncles pour la dernière minute de cuisson, en les retournant au bout de 30 secondes, jusqu'à ce qu'elles soient dorées à l'extérieur mais encore translucides à l'intérieur.

4.Pour servir, répartir la purée truffée dans les assiettes et arroser d'huile de truffe supplémentaire. Servir avec des feuilles de cresson et des quartiers de citron, ainsi que du sel de truffe si désiré, sur les crevettes, langoustines et pétoncles.

TEMPURA AUX FRUITS DE MER

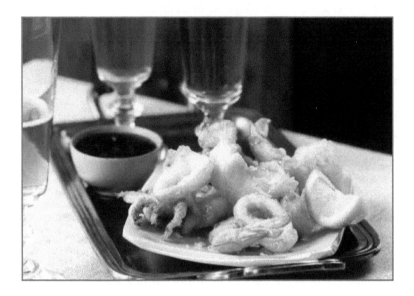

Portions: 16

INGRÉDIENTS

- 500g de calamars nettoyés (capots et tentacules)
- 40 crevettes tigrées vertes
- 500g de filet de John Dory pelé
- Huile de tournesol ou de canola, à frire

SAUCE AU PIMENT DOUX ET AUX CINQ ÉPICES

- 300 ml de sauce chili douce thaïlandaise
- 2 cuillères à soupe de sauce soja légère
- 1/2 cuillère à café de poudre de cinq épices
- BATTERIE TEMPURA

- 1 1/2 tasse (225 g) de farine tout usage
- 1 1/2 tasse (225 g) de maïzena
- 500 à 600 ml d'eau gazeuse glacée (à partir d'une nouvelle bouteille)

PRÉPARATION

Pour préparer la sauce, mélanger tous les ingrédients dans un petit bol avec 1/4 tasse (60 ml) d'eau froide. Supprimer de l'équation.

2.Fendez les tentacules en paires et coupez les capuchons de calamars en anneaux de 1 cm d'épaisseur. Retirez les têtes et épluchez les crevettes en laissant les queues derrière. Coupez le poisson en bandes épaisses de la taille de votre index en le coupant en diagonale.

TARTS DE MER DE MÉDITERRANÉE AVEC AIOLI

Portions: 6

INGRÉDIENTS

- 1/4 tasse (60 ml) d'huile d'olive, plus un supplément à brosser
- 2 x 120g de filets de saumon sans peau
- 12 pétoncles aux œufs
- 12 crevettes cuites, pelées (queues intactes)
- 1 1/2 cuillère à soupe de jus de citron
- 1 cuillère à soupe d'aneth haché, plus des brins à servir

- Salade de fenouil et persil plat garni d'huile d'olive et de jus de citron, pour servir
- PÂTISSERIE
- 2 tasses (300 g) de farine tout usage
- 150 g de beurre non salé frais, haché
- 1/2 cuillère à café de poivre de Cayenne
- 2 jaunes d'oeuf

AÏOLI

- 1 tasse (250 ml) d'huile de canola
- 50 ml d'huile d'olive extra vierge au citron
- 4 gousses d'ail
- 2 cuillères à soupe de jus de citron
- 3 jaunes d'oeuf

PRÉPARATION

Dans un robot culinaire, mélanger la farine, le beurre, le poivre de Cayenne et une pincée de sel jusqu'à ce que le mélange ressemble à de la chapelure fine. Incorporer les jaunes d'œufs et 2 cuillères à soupe d'eau glacée jusqu'à ce que le mélange forme une boule lisse. Réfrigérer 30 minutes après avoir été enveloppé dans une pellicule plastique.

2. Préchauffez le four à 190 degrés Celsius. Sur une surface légèrement farinée, étalez la pâte sur une épaisseur de 3 à 5 mm. Pour tapisser six moules à tarte à fond lâche de 10 cm, coupez six cercles de 12 cm. Tapisser les coquilles de tarte avec du papier sulfurisé et des poids à pâtisserie ou du riz non cuit et placer les moules sur une grande plaque à pâtisserie. Retirez le

papier et les poids ou le riz après 10 minutes de cuisson à l'aveugle. Cuire au four encore 3 minutes ou jusqu'à ce que la pâte soit dorée et croustillante. Laisser refroidir avant de retirer les coquilles des casseroles.

En attendant, préparez l'aïoli en mélangeant les huiles dans une cruche. Au robot culinaire, mélanger l'ail, le jus et les jaunes avec une pincée de sel, puis mélanger jusqu'à consistance lisse. Pendant que le moteur fonctionne, ajoutez lentement de l'huile jusqu'à ce que vous ayez une mayonnaise épaisse. Assaisonner au goût, puis couvrir et conserver au réfrigérateur jusqu'au moment de l'utiliser (jusqu'à 4 jours).

Faites chauffer l'huile supplémentaire dans une poêle à charbon ou une poêle à fond épais à feu vif. Cuire le saumon 1 à 2 minutes de chaque côté jusqu'à ce qu'il soit juste cuit lorsque la poêle est chaude. Supprimer de l'équation. Les pétoncles doivent être cuits pendant 30 secondes de chaque côté, ou jusqu'à ce qu'ils soient juste opaques. Casser le saumon en morceaux et mélanger avec les pétoncles et les crevettes dans un grand bol à mélanger. Assaisonner de sel et de poivre, puis mélanger délicatement les fruits de mer avec l'huile, le jus de citron et l'aneth.

5. Pour servir, étendre un peu d'aïoli sur les coquilles de tarte, garnir des fruits de mer et terminer avec un brin d'aneth. Servir avec une salade de fenouil.

FRUITS DE MER GRILLÉS AVEC SAUCE AUX LÉGUMES RÔTI

Portions: 4

INGRÉDIENTS

- 500g de calamars pour biberon, nettoyés
- 8 langoustines, coupées en deux
- 1 kg de grosses crevettes, tête enlevée (coquille et queue laissées intactes), coupées en deux dans le sens de la longueur, déveinées
- 1/2 tasse (125 ml) d'huile d'olive, plus 2 cuillères à soupe pour assaisonner la roquette

- 3 gousses d'ail, une poignée de feuilles de basilic écrasées
- 1/3 tasse (80 ml) de jus de citron
- 100g de feuilles de roquette sauvage
- 1 cuillère à soupe de vinaigre de xérès
- SAUCE AUX LÉGUMES RÔTI
- 2 poivrons rouges (500g au total)
- 1 aubergine
- 2 gousses d'ail hachées
- 6 filets d'anchois, hachés
- 1 cuillère à soupe de câpres salées, rincées
- 1/2 tasse (125 ml) d'huile d'olive extra vierge

PRÉPARATION

1.Réservez les tentacules de calmar après les avoir coupés. Ouvrez les tubes et marquez doucement une main. Combinez tous les calamars, langoustines et crevettes dans un plat. Assaisonner de sel et de poivre, puis incorporer les fruits de mer avec l'huile, l'ail, le basilic et le jus de citron. Lorsque vous préparez la sauce, faites mariner la viande au réfrigérateur.

Préchauffer un barbecue légèrement huilé à feu moyen-vif pour la sauce. Les poivrons et les aubergines doivent être cuits jusqu'à ce que la peau soit carbonisée et que la chair soit ramollie. Laisser refroidir dans un bol avant de recouvrir d'une pellicule plastique. Retirer les graines des poivrons et mélanger la chair dans un mixeur (en réservant les jus).

3. Coupez l'aubergine en deux, retirez la chair et mélangez avec l'ail, les anchois et les câpres dans un mélangeur. Pour faire une sauce onctueuse, mélangez en purée, puis ajoutez de l'huile pendant que le moteur fonctionne encore. (Si la sauce est trop épaisse, diluez-la avec un peu du jus de poivron réservé.)

4. Arrosez la roquette d'un peu d'huile et de vinaigre, assaisonnez et disposez sur des assiettes. Faites griller les fruits de mer jusqu'à ce qu'ils soient juste terminés, puis mettez-les sur les feuilles de roquette et servez avec un côté de sauce.

BOL DE GLACE AUX FRUITS DE MER

S

Portions: 8

INGRÉDIENTS

- 50 coquillages (facultatif), à décorer
- 36 glaçons
- 250g chacun de palourdes et de pipis
- 1 petit oignon rouge, haché finement
- 2 gousses d'ail écrasées
- 4 cuillères à soupe de ciboulette fraîche hachée
- 80 ml (1/3 tasse) de vinaigre de vin rouge
- 160 ml (8 cuillères à soupe) d'huile d'olive extra vierge

- 1 homard cuit
- 2 crabes nageurs bleus cuits
- 20 crevettes cuites
- 2 douzaines d'huîtres fraîchement épluchées
- MAYONNAISE AU CITRON
- 2 tasses de mayonnaise de bonne qualité
- 150 ml de crème fraîche
- 1 citron, zesté
- 2 citrons, pressés

PRÉPARATION

1. Vous aurez besoin de deux bols en plastique pour fabriquer le bol à glace: un d'une capacité de 3 litres et l'autre légèrement plus petit. Remplissez à moitié le grand bol de glace et de coquillages. Placez le petit bol sur la glace et appuyez dessus. Utilisez des boîtes pour alourdir la cuve supérieure.

Mettez au congélateur et remplissez le bol inférieur à moitié avec de l'eau froide. Congelez pendant au moins 24 heures.

Dans un bain, mélangez les palourdes et les pipis avec 125 ml d'eau et 125 ml de vin. Cuire 1 à 2 minutes, couvert, à feu vif. Le liquide et les palourdes ou les pipis qui ne se sont pas ouverts doivent être jetés. Laissez le temps de refroidir.

4.Versez 300 ml d'eau chaude dans le bol supérieur et laissez reposer pendant une minute avant de l'égoutter. Retirez la cuve extérieure.

Dans un grand bol, assaisonner l'oignon, l'ail, la ciboulette, le vinaigre et l'huile.

6.Pour préparer la mayonnaise au citron, fouettez ensemble tous les ingrédients dans un bol à mélanger. Assaisonner selon l'envie. Mélanger les gros fruits de mer avec la vinaigrette et les couper en bouchées. Servir avec de la mayonnaise et un tas de poisson dans un bac à glaçons.

RIZ SAFRAN AUX FRUITS DE MER (ARROZ AZAFRAN MARINERA)

Portions: 4

INGRÉDIENTS

- 250g de crevettes vertes moyennes
- 1 feuille de laurier
- 750g de moules nettoyées, décortiquées
- 250 ml (1 tasse) de vin blanc espagnol
- 1 cuillère à café de fils de safran espagnol
- 40 ml (2 cuillères à soupe) d'huile d'olive espagnole
- 2 oignons, hachés finement
- 2 gousses d'ail écrasées

- 1 poivron rouge, épépiné, haché
- 300g de riz Calasparra
- 750g de calamars, nettoyés, coupés en rondelles
- 1 cuillère à soupe d'herbes mélangées hachées (comme le thym, l'origan, le persil)

PRÉPARATION

1. Décortiquez les crevettes et mettez les têtes dans une casserole pour faire le bouillon; réserver la viande. Porter à ébullition avec 750 ml (3 tasses) d'eau et une feuille de laurier. Réduire à feu doux et poursuivre la cuisson 10 minutes, puis filtrer et réserver le bouillon. Les solides doivent être jetés.

Dans une casserole, mélanger les moules et le vin, couvrir et cuire à feu moyen pendant environ 15 minutes, en vérifiant toutes les deux minutes et en retirant les moules au fur et à mesure qu'elles s'ouvrent. (Toutes les moules qui ne se sont pas ouvertes doivent être jetées.) Retirez les trois quarts des moules de leur coquille, en jetant les coquilles et le liquide. (Conservez le reste des moules dans leur coquille pour les utiliser comme garniture.)

3. Dans une poêle à fond épais, chauffer l'huile à feu moyen. Rôtir à sec le safran jusqu'à ce qu'il soit parfumé. Couvrir et laisser infuser le bouillon réservé.

4. Dans une casserole moyenne, chauffer l'huile d'olive. Faire sauter l'oignon, l'ail et le poivron pendant 3-4 minutes ou jusqu'à ce que l'oignon ramollisse. Réduire le feu au minimum, couvrir et cuire 20 minutes avec le riz

et le bouillon de safran. Vérifiez la cuisson et faites cuire quelques minutes de plus si possible, jusqu'à ce que le riz soit tendre et que la majeure partie du liquide soit absorbée. Cuire 5 minutes ou jusqu'à ce que les calamars, les crevettes réservées et les herbes soient tout juste terminés. Ajouter les moules et servir aussitôt, garnies des moules dans leur coquille réservées.

Ragoût de fruits de mer

Portions: 8

INGRÉDIENTS

- 1/4 tasse (60 ml) d'huile d'olive
- 1 oignon, tranché finement
- 1 bulbe de fenouil, tranché finement
- 2 carottes, pelées et tranchées finement
- 2 gousses d'ail écrasées
- 1/2 cuillère à café de fils de safran
- 1 cuillère à café de graines de fenouil
- 1 long piment rouge, épépiné, haché finement
- 1L (4 tasses) de fumet de poisson
- 800g de tomates concassées
- 2 feuilles de laurier

- 1 tasse (250 ml) de vin blanc
- 1kg de moules, décortiquées
- 6 petits calamars (y compris les tentacules), nettoyés, coupés en anneaux
- 16 crevettes vertes, pelées (queues intactes), déveinées
- 500g de poisson blanc ferme (comme la morue à œil bleu), peau enlevée, coupée en morceaux de 2 cm
- 2 crabes nageurs bleus cuits, hachés
- Gremolata, pour servir

PRÉPARATION

Dans une grande poêle, faites chauffer 2 cuillères à soupe d'huile d'olive. Ajoutez l'oignon, le fenouil et les carottes. Cuire 2 à 3 minutes à feu doux ou jusqu'à ce qu'ils soient ramollis. Cuire encore une minute après avoir ajouté l'ail, les filets de safran, les graines de fenouil et le piment. Laisser mijoter le bouillon de poisson, les tomates et les feuilles de laurier pendant 20 minutes à feu doux (ce plat peut être préparé jusqu'à ce stade bien à l'avance, si vous le souhaitez). Mettre le vin dans une casserole juste avant de servir le ragoût, ajouter les moules et cuire à couvert à feu vif jusqu'à ce que les moules s'ouvrent (jeter celles qui ne s'ouvrent pas). Le vin de cuisson doit être filtré dans la base du ragoût, mais les moules doivent être conservées.

Préchauffez la poêle dans laquelle les moules ont été frites. Faites chauffer l'huile restante, puis ajoutez rapidement les calamars et laissez cuire 1 à 2 minutes. Appliquer sur le ragoût.

3.Cuire les crevettes et le poisson dans la poêle pendant 1 à 2 minutes de chaque côté ou jusqu'à ce qu'ils soient tout juste cuits. Ajoutez ensuite le crabe et les moules mis de côté au ragoût. Laisser mijoter, en remuant de temps en temps, pendant 2-3 minutes à feu doux.

4. Assaisonner généreusement de sel et de poivre noir. Servir dans de grands bols de gremolata sur le dessus.

RISOTTO AUX FRUITS DE MER THAÏLANDAIS

Portions: 4

INGRÉDIENTS

- 3 cuillères à soupe d'huile d'olive légère
- 1 oignon moyen, haché finement
- 2 gousses d'ail écrasées
- 2 cuillères à soupe de pâte de curry rouge thaï
- 300g de riz arborio
- 300 ml de bouillon de poisson ou de légumes
- 300 ml de lait de coco
- 4 feuilles de lime kaffir fraîches, finement râpées

- 1 tige de citronnelle, hachée finement
- 1 calmar moyen (environ 200 g), nettoyé, coupé en rondelles
- 200g de crevettes vertes, pelées, avec la queue
- 150g de pétoncles nettoyés
- 1 cuillère à soupe de farine assaisonnée

PRÉPARATION

1. Préchauffez le four à 180 degrés Celsius.

Dans une poêle, faites chauffer 1 cuillère à soupe d'huile et ajoutez l'oignon. Cuire 1 minute à feu moyen ou jusqu'à ce qu'ils soient ramollis. Mélanger l'ail et la pâte de curry dans un plat à mélanger. Pour libérer les saveurs, faites cuire 1 minute. Cuire 1 à 2 minutes en remuant constamment. Mélanger le bouillon, le lait de coco et la moitié des feuilles de lime dans un bol à mélanger. Sel et poivre au goût. À feu vif, porter à ébullition. Retirez la casserole du feu et mettez-la de côté.

3.Dans un bol graissé allant au four, verser soigneusement le mélange, couvrir de papier d'aluminium et cuire au four pendant 15 minutes. Retirer du four et bien mélanger. Ajoutez 1/2 tasse d'eau ou de bouillon si le mélange est trop sec. Couvrir et cuire encore 10 minutes. Incorporer la moitié des fruits de mer, couvrir et cuire encore 10 minutes ou jusqu'à ce que les fruits de mer soient complètement cuits.

Pendant ce temps, mélangez les fruits de mer restants dans la farine assaisonnée.

5.Dans une poêle propre, chauffer l'huile restante, puis ajouter les fruits de mer et cuire à feu vif jusqu'à ce qu'ils soient croustillants.

Assurez-vous de bien mélanger le risotto. Garnir avec les feuilles de lime restantes et les fruits de mer poêlés.

CARI DE FRUITS DE MER

Portions: 4

INGRÉDIENTS

- 2 cuillères à soupe d'huile végétale
- 1 oignon, tranché finement
- 1 gousse d'ail écrasée
- Morceau de gingembre de 2 cm, râpé
- 2 cuillères à soupe de pâte de curry douce
- 1 cuillère à soupe de purée de tomates
- 500g de filets de poisson blanc (type œil bleu ou perche), désossés, coupés en morceaux de 2 cm
- 300g de crevettes vertes, pelées, queues intactes
- 2 boîtes de 270 ml de lait de coco

- 1/4 tasse (60 ml) de bouillon de poisson ou de poulet
- 1 cuillère à café de palme ou de sucre en poudre
- 2 cuillères à soupe de jus de citron vert
- 2 cuillères à soupe de feuilles de coriandre hachées, plus des feuilles entières pour garnir
- Riz brun à grains moyens cuit à la vapeur, pour servir
- Quartiers de lime, pour servir

PRÉPARATION

Dans une poêle à fond épais, chauffer l'huile à feu moyen. Cuire en remuant constamment jusqu'à ce que l'oignon soit ramolli. Faites cuire quelques secondes après avoir ajouté l'ail et le gingembre.

Ajoutez la pâte de curry et la purée de tomates et faites cuire 1 minute, en remuant constamment, jusqu'à ce que ce soit parfumé.

3.Ajoutez les fruits de mer dans la casserole et couvrez bien. Assaisonner de sel et de poivre après avoir ajouté le lait de coco, le bouillon et le sucre. Porter à ébullition, puis réduire à feu doux et cuire encore 10 minutes, ou jusqu'à ce que les fruits de mer soient complètement cuits. Mélanger le jus de lime et la coriandre hachée dans un bol à mélanger. Garnir de feuilles de coriandre et d'un quartier de lime et servir avec du riz cuit à la vapeur.

FRUITS DE MER EN GELÉE DE CHARDONNAY

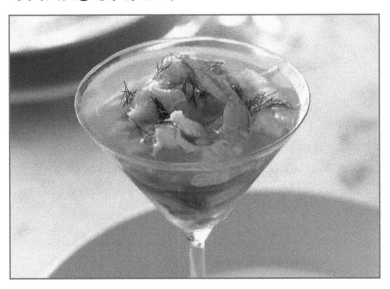

Portions: 4

INGRÉDIENTS

- 3 feuilles de gélatine *
- 200 ml de chardonnay
- 1 1/2 cuillères à soupe de sauce de poisson
- 200g de petites crevettes d'école cuites, pelées, queues intactes
- 120g de crabe nageur bleu cuit
- 100g de saumon fumé coupé en fines lanières
- Jus de 1/2 citron
- 1 cuillère à soupe d'aneth haché

- Toasts Melba, pour servir

PRÉPARATION

1. Réfrigérez 4 grands verres à martini (ou similaire).

Adoucissez les feuilles de gélatine en les trempant dans de l'eau froide (environ 5 minutes).

3.Réduire de moitié le vin dans une casserole à feu vif. Pressez la gélatine et mettez-la dans la casserole. Remuer jusqu'à ce que le sucre soit complètement dissous. Mettez dans un bol doseur avec la sauce de poisson et suffisamment d'eau froide pour faire 600 ml de liquide.

4.Mettez les fruits de mer avec le citron et l'aneth dans un plat. Incorporer les assaisonnements et fouetter pour mélanger.

5.Dans chaque bouteille, superposez une petite quantité de fruits de mer, recouvrez d'un peu de mélange de vin et laissez reposer 15 minutes. Répétez jusqu'à ce que les verres soient complètement pleins et durcis. Les toasts Melba sont un accompagnement parfait.

FRITTO MISTO (FRUITS DE MER ET LÉGUMES)

Portions: 6

INGRÉDIENTS

- 250g de calamars coupés en rondelles
- 12 crevettes vertes, pelées, déveinées, queues intactes
- 400g de poisson blanc ferme, coupé en morceaux de 2 cm
- 100g d'appât blanc
- 2 courgettes (environ 200 g), tranchées finement

- 1 bouquet d'asperges fines, les extrémités coupées
- 12 feuilles de sauge
- 1 tasse (150 g) de farine à levure automatique
- 1 cuillère à soupe de maïzena
- 1/2 cuillère à café de bicarbonate de soude
- Huile de tournesol, pour la friture
- Quartiers de citron, pour servir

PRÉPARATION

Pour éliminer tout excès d'humidité, placez le poisson, les légumes et la sauge sur une serviette en papier. Pour faire une pâte lisse, tamisez la farine auto-levante et la farine de maïs dans un bol, ajoutez du bicarbonate de soude, assaisonnez avec du sel et du poivre et fouettez lentement dans 350 ml d'eau glacée.

Chauffez une friteuse ou une grande casserole à 190 ° C et remplissez à moitié d'huile. (L'huile est prête lorsqu'un cube de pain devient doré en 30 secondes.) En travaillant par lots, trempez les légumes, les épices et les fruits de mer dans la pâte et faites-les frire jusqu'à ce qu'ils soient dorés, en déplaçant les morceaux pour éviter les grumeaux. Retirer du four, égoutter sur du papier absorbant et rester au chaud jusqu'à ce que tout soit fini. Servir avec des quartiers de citron et une pincée de sel marin.

GRIL MÉLANGE DE FRUITS DE MER AVEC VINAIGRETTE À LA TOMATE

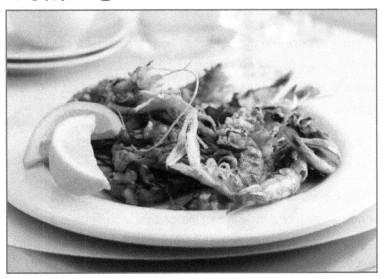

Portions: 4

INGRÉDIENTS

- 8 crevettes vertes
- 8 langoustines surgelées *, décongelées
- 1 morceau de steak de thon
- Huile d'olive légère, pour enrober
- 1/4 tasse de feuilles de persil plat
- 1 citron, coupé en quartiers, pour servir
- PANSEMENT

- 1 tomate, hachée finement
- 1 gousse d'ail écrasée
- 1 cuillère à soupe de jus de citron
- 1/4 tasse (60 ml) d'huile d'olive

PRÉPARATION

1. Pour préparer la vinaigrette, fouettez ensemble la tomate, l'ail, le jus de citron et l'huile d'olive jusqu'à consistance lisse, puis assaisonnez avec du sel de mer et du poivre noir fraîchement moulu au goût.

2. Dévein les crevettes en enlevant les têtes et en papillonnant autour du dos.

3. Coupez les langoustines en deux dans le sens de la longueur, retirez la veine et rincez à l'eau froide pour nettoyer. Faites quatre petits steaks avec le thon. Enrober le tout d'huile d'olive et assaisonner de sel et de poivre.

Préchauffer un gril ou un barbecue légèrement huilé à feu moyen-vif. Lorsque le gril est chaud, placez les crevettes et langoustines côté coupé vers le bas sur le gril (par lots si nécessaire). Cuire 1 à 2 minutes d'un côté jusqu'à ce qu'il soit bien coloré, puis retourner et cuire 30 à 60 secondes de l'autre côté ou jusqu'à ce qu'il soit tout juste cuit. Cuire le thon d'un côté pendant 1 à 2 minutes, en le retournant à mi-cuisson pour créer des marques de gril entrecroisées. Cuire encore une minute.

5. Disposez tous les fruits de mer sur un grand plat de service de manière détendue. Répartir la vinaigrette sur le dessus et garnir de persil.

6. Servir avec des quartiers de citron sur le côté. s.

BROCHETTES DE FRUITS DE MER BARBECUES AVEC SAUCE ROMESCO

Portions: 12

INGRÉDIENTS

- 12 pétoncles sans œufs
- 8 oignons nouveaux, chacun coupé en 4 longueurs
- 12 crevettes vertes, pelées (queues intactes), déveinées
- 6 pointes d'asperges, extrémités ligneuses parées, chacune coupée en 4 longueurs, légèrement blanchies
- Huile d'olive, à brosser
- Petits quartiers de citron, pour servir

- SAUCE ROMESCO
- 1/3 tasse (80 ml) d'huile d'olive extra vierge fruitée ou faiblement acide
- 10 noisettes
- 10 amandes blanchies
- 1 tranche de pain blanc, croûtes enlevées
- 5 piquillos pimientos (environ 100g)
- 1/4 cuillère à café de paprika fumé
- Petite pincée de poivre de Cayenne
- 4 gousses d'ail
- 2 cuillères à café de vinaigre de xérès
- 1 tomate mûre, pelée, épépinée, hachée grossièrement

PRÉPARATION

1. Pour éviter de brûler, faites tremper 12 brochettes en bois (ou des brindilles de laurier taillées pour un look rustique) dans de l'eau froide pendant 2 heures.

Dans une petite casserole à feu moyen-doux, chauffer 2 cuillères à soupe d'huile pour la sauce romesco. Cuire, en remuant constamment, pendant 5 minutes ou jusqu'à ce qu'elles soient dorées. Retirez les noix et placez-les sur une serviette en papier froissé pour les égoutter. Faites frire le pain dans la poêle pendant 2 minutes de chaque côté ou jusqu'à ce qu'il soit doré. Laisser refroidir légèrement avant de mélanger avec les noix, les piments, le paprika, le poivre de Cayenne, l'ail, le vinaigre, la tomate et le reste de l'huile dans un robot culinaire pour faire une pâte. Assaisonner selon l'envie.

3. Extrayez les nerfs, les membranes ou les muscles blancs durs des pétoncles en les coupant ou en les retirant. Rincer abondamment et rincer avec une serviette en papier. Sur une brochette, enfilez deux morceaux d'oignon. Enfilez une crevette sur une brochette en enroulant les extrémités ensemble. Enfilez deux morceaux d'asperges, puis une coquille Saint-Jacques sur le fil. Pour faire 12 brochettes, répétez l'opération avec l'oignon, les crevettes, les asperges et les pétoncles restants.

BOUCHES DE POISSON CROMBÉES

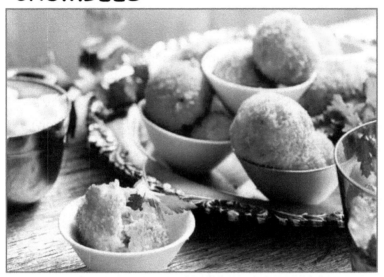

Portions: 24

INGRÉDIENTS

- 500g de filets de poisson (saumon ou lingue)
- 1 tasse de purée de pommes de terre, réfrigérée
- 4 oignons nouveaux, hachés
- 2 cuillères à soupe de persil plat haché
- 1 cuillère à soupe de moutarde anglaise chaude
- 1 jaune d'oeuf
- ⅓ tasse de farine tout usage
- 1 œuf, battu
- 1 tasse de chapelure panko

- Huile végétale, à frire
- Mayonnaise aux œufs entiers et persil supplémentaire, pour servir

PRÉPARATION

1. Au robot culinaire, réduire le poisson en purée jusqu'à ce qu'il forme une pâte. Mélanger la pomme de terre, l'oignon, le persil, la moutarde et le jaune d'oeuf dans un plat à mélanger. Assaisonnez avec du sel et du poivre selon votre goût.

2. Faites des boules avec des cuillerées à soupe du mélange de poisson. En utilisant de la farine, des œufs et de la chapelure, enrobez chaque boule de poisson. Placer sur un plateau de service.

3. Dans une casserole, chauffer l'huile à feu moyen-vif. Par lots, déposez doucement les boules dans l'huile et faites cuire 1 à 2 minutes ou jusqu'à ce qu'elles soient dorées. Servir avec de la mayonnaise et du persil sur le dessus.

JAMIE OLIVER'S FISH AND CHEAT'S CHIPS AU TARRAGON MUSHY PEAS

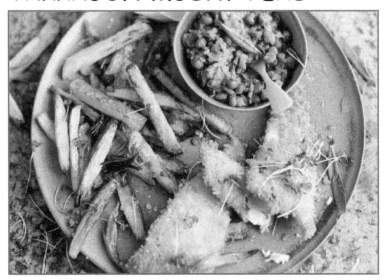

Portions: 4

INGRÉDIENTS

- 1/3 tasse (50 g) de farine tout usage
- 2 œufs légèrement battus
- 3 tasses (210 g) de chapelure fraîche
- 1 cuillère à café de flocons de piment séchés
- 4 filets de plie sans peau (à commander auprès de votre poissonnier), coupés en lanières de 4 cm de large
- Huile de tournesol, pour faire frire du cresson ou des micro-herbes, pour servir

LES CHIPS DE CHEAT

- 1 kg de pommes de terre sebago, nettoyées (non pelées), coupées en copeaux de 1 cm d'épaisseur
- 3 brins de romarin, feuilles cueillies
- 1/4 tasse (60 ml) d'huile d'olive
- 2 gousses d'ail, tranchées finement
- PURÉE DE POIS
- 25g de beurre non salé
- 400g de petits pois frais (ou surgelés, décongelés)
- 1 petit bouquet d'estragon, feuilles finement hachées
- Jus de 1/2 citron, plus quartiers de citron à servir

PRÉPARATION

1. Préchauffez le four à 200 degrés Celsius. Faites bouillir les pommes de terre pendant 3-4 minutes dans une casserole d'eau bouillante salée pour les frites. Laisser refroidir et sécher après égouttage.

Mélangez les chips avec le romarin, l'huile et une pincée de sel sur une plaque à pâtisserie. Après 20 minutes au four, retirez la plaque du four et incorporez l'ail. Cuire au four pendant 15 à 20 minutes supplémentaires, ou jusqu'à ce qu'elles soient dorées et croustillantes.

Pendant ce temps, faites fondre le beurre dans une casserole à feu moyen pour obtenir des pois pâteux. Cuire à couvert pendant 10 minutes (3 minutes pour les surgelés) ou jusqu'à tendreté, en ajoutant les pois frais et l'estragon au goût. Assaisonner avec du jus de citron. Écraser jusqu'à ce que le mélange soit pâteux. Pour rester au chaud, couvrez.

4. Répartissez le riz, l'œuf et la chapelure dans trois bols. Assaisonnez les miettes de sel et de poivre, ainsi que les flocons de piment. Le poisson doit d'abord être fariné, puis plongé dans l'œuf, en secouant tout excès, puis recouvert de chapelure. Assaisonner de sel et de poivre, réserver et répéter avec le reste du poisson.

POISSON CROQUANT AVEC CAROTTES RÔTIES ET SALADE D'ORANGE ET

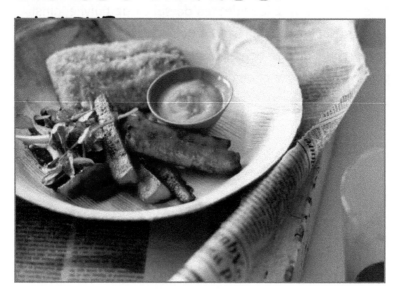

Portions: 4

INGRÉDIENTS

- 3 grosses carottes, coupées en gros bâtonnets
- 1 cuillère à café de paprika
- Une pincée de poivre de Cayenne
- 1/4 tasse (60 ml) d'huile d'olive extra vierge
- 3/4 tasse (75 g) de chapelure séchée
- 4 filets de poisson blanc sans peau épais de 150 g (comme les yeux bleus)

- 50g de beurre non salé, fondu
- 1/2 bouquet de cresson, brins cueillis
- 1 orange, pelée, moelle enlevée, segmentée
- 1/2 oignon rouge, tranché finement
- 1/2 tasse (60 g) d'olives noires dénoyautées, coupées en deux
- 1 cuillère à soupe de vinaigre de vin blanc
- 1/2 tasse (150 g) de mayonnaise aux œufs entiers
- 1 cuillère à soupe de harissa

PRÉPARATION

Préchauffez le four à 220 degrés Celsius et tapissez deux plaques à pâtisserie de papier sulfurisé.

2. Assaisonnez les carottes avec les épices et 1 cuillère à soupe d'huile. Étaler sur une plaque à pâtisserie et cuire au four pendant 15 à 20 minutes, ou jusqu'à ce qu'ils soient ramollis.

Pendant ce temps, assaisonnez la chapelure et étalez-la sur un plateau. Badigeonnez le poisson de beurre puis roulez-le dans la chapelure. Placez le poisson sur le deuxième plateau. Cuire au four encore 15 minutes, ou jusqu'à ce que le poisson soit croustillant et bien cuit et que les carottes soient bien dorées.

Dans un bol à mélanger, mélanger le cresson, l'orange, l'oignon et les olives. Assaisonner de sel et de poivre, puis verser le vinaigre et les 2 cuillères à soupe d'huile restantes sur la salade et mélanger pour mélanger.

POISSON BRAISÉ AU CHORIZO, CAPSICUM ET POMMES DE TERRE

Portions: 4

INGRÉDIENTS

- 2 cuillères à soupe d'huile d'olive
- 1 chorizo, sans peau, haché finement
- 2 oignons, hachés
- 1 poivron rouge, haché grossièrement
- 1 poivron vert, haché grossièrement
- 1 cuillère à café de paprika fumé (pimenton) *
- 6 anchois à l'huile, hachés grossièrement

- 500g de pommes de terre cireuses, pelées, coupées en morceaux de 2 cm
- 400 ml de vin blanc sec
- 4 filets de poisson blanc épais de 150 g (comme la lingue)
- Persil plat haché, pour servir

PRÉPARATION

1. Dans une poêle antiadhésive profonde, chauffer l'huile à feu moyen. Cuire, en remuant de temps en temps, jusqu'à ce que le chorizo, l'oignon, le poivron, le paprika et les anchois soient translucides et que le chorizo commence à brunir, 3-4 minutes.

Ajoutez la pomme de terre dans la casserole, couvrez partiellement avec le couvercle et faites cuire pendant 25 minutes, ou jusqu'à ce que les pommes de terre soient presque tendres et que les légumes soient tendres.

3.Ajoutez le vin dans la poêle, portez à ébullition, puis réduisez à feu moyen-doux et continuez à cuire pendant 2-3 minutes, ou jusqu'à ce qu'il soit légèrement réduit. Ajouter le poisson, couvrir et cuire de 6 à 8 minutes ou jusqu'à ce que le poisson soit tout juste cuit. Servir immédiatement avec une garniture de persil ou passer à un plat de service avant de servir.

POISSON CUIT AUX CAPRES, POMMES DE TERRE ET CITRON

Portions: 4

INGRÉDIENTS

- 8 petites pommes de terre chat, avec la peau, tranchées très finement (une mandoline ou un éplucheur de légumes est idéal)
- 1/4 tasse (60 ml) d'huile d'olive extra vierge
- 4 x 200g de filets de poisson blanc ferme sans peau (comme le vivaneau)
- 1/2 citron, tranché finement
- 1 cuillère à soupe de câpres salées, rincées, égouttées

- Une poignée d'herbes molles (comme la coriandre, le persil plat, l'aneth, l'estragon, le cerfeuil ou le fenouil), hachées

PRÉPARATION

Préchauffer le four à 200 ° C et une plaque à pâtisserie à 180 ° C. Disposez quatre grandes feuilles de papier sulfurisé et quatre grandes feuilles de papier d'aluminium.

2. Divisez la pomme de terre entre les feuilles de papier, en ajoutant deux couches au milieu de chaque feuille. Arroser de la moitié de l'huile d'olive et assaisonner de sel et de poivre. Garnir d'un filet de poisson et d'une tranche de citron, puis de câpres, d'herbes mélangées et de sel de mer. Versez les 112 cuillères à soupe d'huile d'olive restantes sur tout. Couvrir le poisson d'une pellicule plastique, replier les extrémités sous pour former un colis et protéger avec du papier d'aluminium. Cuire au four de 20 à 30 minutes, jusqu'à ce que la pomme de terre soit tendre, sur la plaque à pâtisserie préchauffée.

TRUITE DE L'OCÉAN FUMÉE À LA FLEUR DE BANANE ET

Portions: 4

INGRÉDIENTS

- 1/3 tasse d'huile de coco
- 2 x 200g de filets de truite de mer fumée à chaud
- 4 feuilles de fleur de bananier, tranchées finement
- 1/2 tasse de feuilles de basilic thaï
- 1/2 tasse de feuilles de coriandre

- 2 cuillères à soupe d'ail finement tranché, frit, refroidi
- 1 cuillère à soupe d'échalotes asiatiques frites
- 1 piment rouge, épépiné, râpé
- 2 longs piments rouges séchés, émiettés
- 2 feuilles de lime kaffir, finement râpées
- Quartiers de lime, pour servir
- SAUCE DE POISSON DOUX
- 250g de sucre de palme, râpé
- 1/2 oignon rouge, tranché
- 1 tige de citronnelle, meurtrie
- 4 feuilles de lime kaffir
- Morceau de galanga ou de gingembre de 3 cm, tranché
- 4 racines de coriandre, parées
- 2 cuillères à soupe de sauce de poisson et de pâte de tamarin

PRÉPARATION

1. Faites chauffer le sucre et 2 cuillères à soupe d'eau dans une casserole à feu moyen, en remuant constamment, jusqu'à ce que le sucre se dissolve. Porter à ébullition avec l'oignon, la citronnelle, les feuilles de lime kaffir, le galanga et la coriandre.

Réduire à feu moyen-doux et poursuivre la cuisson pendant 5 à 6 minutes ou jusqu'à ce qu'elles soient légèrement caramélisées. Mélanger la sauce de poisson et le tamarin dans un bol à mélanger. Retirer du soleil, filtrer et laisser refroidir.

3.Dans une poêle à feu moyen-vif, chauffer l'huile et faire revenir la truite pendant 1 à 2 minutes de chaque côté ou jusqu'à ce qu'elle soit bien chaude. Retirez la viande, rincez-la sur une serviette en papier et coupez-la en gros morceaux.

4.Assemblez la truite et le reste des ingrédients dans des assiettes, puis arrosez de sauce.

SWORDFISH INVOLTINI AUX CAPRES, TOMATES ET OLIVES

Portions: 4

INGRÉDIENTS

- 1 tranche épaisse de pain, telle que levain ou ciabatta, croûte enlevée, déchirée
- 1 cuillère à soupe de feuilles de marjolaine
- 2 filets d'espadon de 180 g, sans peau
- 1 cuillère à soupe d'huile d'olive extra vierge, plus un peu pour arroser
- 1 petite gousse d'ail, tranchée finement
- Petite pincée de flocons de piment séché
- 1 1/2 cuillère à soupe de pignons de pin (facultatif)

- 250g de tomates cerises mûries sur pied, coupées en deux
- 1 cuillère à soupe de câpres salées, rincées
- 1/3 tasse (55 g) d'olives Kalamata, dénoyautées
- 100 ml de vin blanc sec (comme le pinot grigio)
- Petite poignée de persil plat et de feuilles de fenouil (facultatif), hachées

PRÉPARATION

1. Faites chauffer le sucre et 2 cuillères à soupe d'eau dans une casserole à feu moyen, en remuant constamment, jusqu'à ce que le sucre se dissolve. Porter à ébullition avec l'oignon, la citronnelle, les feuilles de lime kaffir, le galanga et la coriandre.

Réduire à feu moyen-doux et poursuivre la cuisson pendant 5 à 6 minutes ou jusqu'à ce qu'elles soient légèrement caramélisées. Mélanger la sauce de poisson et le tamarin dans un bol à mélanger. Retirer du soleil, filtrer et laisser refroidir.

3.Dans une poêle à feu moyen-vif, chauffer l'huile et faire revenir la truite pendant 1 à 2 minutes de chaque côté ou jusqu'à ce qu'elle soit bien chaude. Retirez la viande, rincez-la sur une serviette en papier et coupez-la en gros morceaux.

4.Assemblez la truite et le reste des ingrédients dans des assiettes, puis arrosez de sauce.

BŒUF POISSON AVEC SAUCE DE POISSON AU CARAMEL ET SLAW À LA LIME

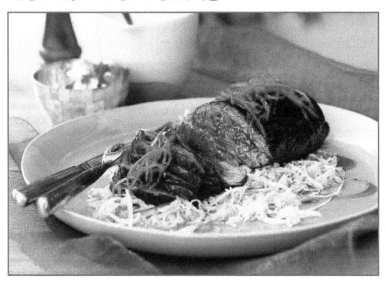

Portions: 4

INGRÉDIENTS

- 250g de sucre de palme, râpé
- 1/4 tasse (60 ml) de sauce de poisson de la meilleure qualité
- 1/4 tasse (60 ml) de jus de lime
- 1 kg de filet de bœuf nourri à l'herbe
- 6 longs piments rouges, épépinés, tranchés finement

- SLAW RAW
- 2 tasses chacun blanc tranché finement
- chou et laitue iceberg, (une mandoline est idéale)
- Jus de 3 limes charnues

PRÉPARATION

1.Placez le sucre et 1 tasse (250 ml) d'eau dans une casserole à feu moyen, en remuant jusqu'à ce que le sucre se dissolve. Porter à ébullition et laisser mijoter pendant 12 à 15 minutes, jusqu'à ce que le mélange épaississe et prenne une légère couleur caramel. Retirer du feu, puis ajouter la sauce de poisson et le jus de citron vert, en remuant doucement pour combiner. Réserver le caramel de sauce de poisson.

2. Préchauffez la plaque de cuisson du barbecue à pleine chaleur.

3.Pour la salade de chou crue, mélanger le chou et la laitue dans un grand bol, assaisonner de sel et de poivre, puis assaisonner généreusement avec le jus de citron vert. Mettre de côté.

4.Utilisez vos mains pour frotter 1 cuillère à café de sel de mer sur tout le bœuf. Saisir pendant 1 à 2 minutes de chaque côté jusqu'à ce que la viande soit dorée de partout (assurez-vous de toujours appliquer la viande à un endroit du gril dont la chaleur n'a pas été dissipée par la cuisson). Retirer du feu, laisser reposer 5 minutes, puis trancher - ce sera très rare au milieu.

5.Placez la salade de chou sur un plat de service, puis garnissez de tranches de bœuf. Garnir de piment, puis servir arrosé de caramel.

CARPACCIO KINGFISH AVEC PÂTE DE PIMENT VERT

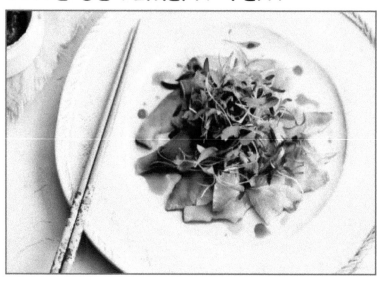

Portions: 4

INGRÉDIENTS

- 600g de Kingfish de qualité sashimi *
- 4 longs piments verts, épépinés, hachés finement
- 1/2 tasse de feuilles de coriandre
- Jus de 4 limes
- 1/3 tasse (80 ml) d'huile d'olive
- 1/3 tasse (80 ml) de sauce soja japonaise
- Micro herbes ou petites feuilles de salade, pour servir

PRÉPARATION

1. Réfrigérez les tranches de poisson, qui doivent avoir 5 mm d'épaisseur, jusqu'à ce qu'elles soient prêtes à manger.

2.Pulpez le piment et la coriandre jusqu'à ce qu'une pâte se développe dans le bol d'un petit robot culinaire. Mélangez le jus de citron vert et juste assez d'huile pour le rendre collant (vous voulez obtenir une pâte lâche et lisse).

3.Placer le poisson sur un plat de service et arroser de sauce soja. Garnir de micro-herbes après avoir saupoudré le poisson de pâte de piment.

KINGFISH CHERMOULA AUX HARICOTS MAROCAINS

Portions: 4

INGRÉDIENTS

- 4 x 180g de filets de martin sans peau
- 2 cuillères à soupe d'huile d'olive
- 1 oignon, haché finement
- 2 gousses d'ail écrasées
- 720g boîte de haricots mélangés, rincés, égouttés
- 1/4 tasse de poivron rôti tranché
- 1/2 tasse (125 ml) de bouillon de poulet
- 1/2 tasse de feuilles de coriandre

- CHERMOULA
- 2 cuillères à café de paprika doux
- 1 cuillère à café de gingembre finement râpé
- 1 cuillère à café de flocons de piment séchés
- 1 cuillère à café de cumin moulu
- 1 cuillère à café de coriandre moulue
- 1 cuillère à café de poivre blanc moulu
- 1/2 cuillère à café de cardamome moulue
- 1/2 cuillère à café de cannelle moulue
- 1/2 cuillère à café d'épices moulues
- 2 cuillères à soupe de jus de citron
- 1/4 tasse (60 ml) d'huile d'olive

PRÉPARATION

1. Dans un grand bol, mélanger tous les ingrédients de la chermoula.

Mélangez le martin à la chermoula pour l'enrober uniformément. Organiser

3.Dans une grande casserole, chauffer 1 cuillère à soupe d'huile et ajouter l'oignon. Cuire 2 à 3 minutes, en remuant de temps en temps, jusqu'à ce qu'il soit ramolli, puis ajouter l'ail et cuire encore 2 minutes, ou jusqu'à ce qu'il soit parfumé. Retirez la casserole du soleil.

Dans un robot culinaire, fouetter 1/2 tasse de haricots mélangés jusqu'à consistance lisse. Mélanger la purée de haricots, le poivron, le bouillon de poulet et les haricots restants dans une casserole. Cuire encore 2 à 3 minutes ou jusqu'à ce que le tout soit bien chaud. Restez mouillé.

5.Dans une poêle de taille moyenne, chauffer 1 cuillère à soupe d'huile restante. Faites cuire les filets de martin de 2 à 3 minutes de chaque main ou jusqu'à ce qu'ils soient tout juste terminés.

6.Garnir de coriandre et nourrir le martin avec le mélange de haricots marocains.

POISSON VAPEUR CHINOIS AU GINGEMBRE

Portions: 4

INGRÉDIENTS

- 4 x 200g de filets yeux bleus sans peau
- Morceau de gingembre de 5 cm, tranché finement
- 100 ml de bouillon de poulet
- 1/4 tasse (60 ml) de vin de riz chinois (shaohsing)
- 4 bébés bok choy, coupés en quartiers
- 2 cuillères à soupe de sauce soja légère
- 1 cuillère à café de sucre en poudre

- 1/2 cuillère à café d'huile de sésame
- 2 cuillères à soupe d'huile d'arachide
- 4 oignons nouveaux, tranchés finement
- Coriandre et riz cuit à la vapeur, pour servir

PRÉPARATION

1. Placez le poisson dans un cuiseur vapeur en bambou sur un plateau. Versez le bouillon et le vin de riz après avoir dispersé le gingembre. Couvrir et cuire à la vapeur pendant 5 minutes dans une casserole d'eau frémissante, puis ajouter le bok choy, couvrir et cuire à la vapeur pendant 2 minutes de plus, ou jusqu'à ce que le poisson soit cuit.

Pendant ce temps, faites chauffer le soya, le sucre, le sésame et l'huile d'arachide dans une poêle à feu moyen pendant 2 minutes.

3.Mettez le poisson et le bok choy avec la vinaigrette, la coriandre et le riz.

TARTE AU POISSON FUMÉ ET

S

Portions: 4

INGRÉDIENTS

- 750g de filets de morue fumée
- 2 1/2 tasses (625 ml) de lait
- 1 petit oignon, haché grossièrement
- 1 feuille de laurier
- 1/4 tasse de feuilles d'estragon hachées
- 75g de beurre non salé, haché
- 1/3 tasse (50 g) de farine tout usage
- 1 kg de pommes de terre coupées en morceaux de 4 cm

- 100g de cheddar fumé râpé
- 350g de chair de crevette verte

PRÉPARATION

Préchauffez le four à 200 degrés Celsius. Dans une poêle profonde à feu moyen, mélanger le poisson, le lait, l'oignon, le laurier et 1 cuillère à soupe d'estragon. Assaisonner de sel et de poivre et porter à ébullition, puis réduire à feu doux et laisser mijoter 5 minutes ou jusqu'à ce que les saveurs soient infusées. Retirez le poisson de la poêle et mettez-le de côté. Remplissez à moitié une cruche de lait et filtrez-la.

2.Dans une casserole à feu moyen, faites fondre 50 g de beurre. Cuire, en remuant constamment, pendant 2-3 minutes, ou jusqu'à ce qu'ils soient dorés pâles. Incorporer le lait en fouettant jusqu'à ce qu'il soit crémeux, puis cuire 2 minutes, en remuant constamment, jusqu'à ce qu'il épaississe légèrement. Assaisonner avec les 2 cuillères à café d'estragon restantes.

Pendant ce temps, portez à ébullition une casserole d'eau salée et faites cuire la pomme de terre pendant 15 minutes ou jusqu'à ce qu'elle soit tendre. Égouttez la pomme de terre, remettez-la dans la poêle et laissez cuire 30 secondes pour éliminer tout liquide restant. Assaisonner de sel et de poivre après avoir écrasé la pomme de terre avec 75 g de fromage et les 25 g de beurre restants.

Émiettez le poisson en jetant la viande et mélangez-le avec les crevettes et la sauce dans un bol allant au four de 2 L (8 tasses), en remuant pour combiner. Étalez la purée de pommes de terre sur le dessus, en vous assurant qu'elle recouvre complètement la garniture. Saupoudrer les 25 g de fromage restants sur le dessus et cuire au four pendant 30 à 35 minutes, ou jusqu'à ce qu'ils soient dorés et bouillonnants.

5.Laisser refroidir 5 minutes avant de servir.

ESPADOIR GRILLÉ AVEC SALADE DE RAISINS, AMANDES ET ORGE

Portions: 4

INGRÉDIENTS

- 1 1/4 tasse (280 g) d'orge perlé, rincée
- Zeste finement râpé et jus de 1/2 citron
- 2 cuillères à café d'herbes italiennes séchées
- 100 ml d'huile d'olive
- 4 filets d'espadon de 220g
- 1 1/2 cuillère à soupe de vinaigre de vin rouge
- 225g de raisins rouges sans pépins, coupés en deux
- 1/2 tasse (80 g) d'amandes grillées, hachées

- 1/3 tasse (60 g) de raisins de Corinthe, trempés dans de l'eau tiède pendant 10 minutes, égouttés
- 1 bouquet de persil plat, feuilles cueillies
- 2 branches de céleri, hachées

PRÉPARATION

1. Dans une casserole d'eau bouillante salée, cuire l'orge pendant 25 à 30 minutes ou jusqu'à ce qu'elle soit tendre. Égouttez l'eau et laissez-la refroidir.

Dans une autre tasse, mélangez le zeste de citron, 1 cuillère à café d'herbes italiennes et 2 cuillères à soupe d'huile. Assaisonner de sel et de poivre, puis ajouter l'espadon et remuer pour couvrir. Réserver 15 minutes pour mariner.

3.Pour préparer la vinaigrette, mélanger le vinaigre, le jus de citron et le 1/4 tasse (60 ml) d'huile restante dans un bol à mélanger, assaisonner de sel et de poivre et réserver.

4. Préchauffer une poêle à charbon ou un barbecue à feu vif. L'espadon doit être cuit pendant 3 minutes de chaque côté ou jusqu'à ce qu'il soit tout juste fini. Reposez-vous pendant 5 minutes, légèrement recouvert de papier d'aluminium.

5.Mélanger l'orge, les raisins, les amandes, les raisins de Corinthe, le persil, le céleri et les 1 cuillère à soupe d'herbes italiennes restantes dans un bol à mélanger. Versez la vinaigrette sur la salade et mélangez.

6.Servir la salade avec l'espadon sur le dessus.

TARTE AU POISSON FILO

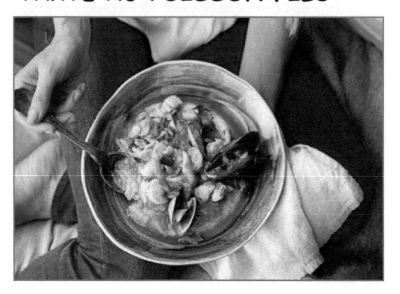

S

Portions: 4

INGRÉDIENTS

- 1 tasse (250 ml) de lait
- 2 œufs légèrement battus
- 1 cuillère à soupe d'aneth, haché
- 1/2 tasse (140 g) de yaourt à la grecque épais
- 1/2 cuillère à café de paprika fumé (pimenton)
- 16 crevettes vertes, pelées, déveinées
- 2 x 150g de filets de saumon fumé à chaud, en flocons
- 1 tasse (120 g) de pois surgelés, décongelés

- 1 bulbe de bébé fenouil, haché très finement
- 8 feuilles de pâte filo
- 100g de beurre non salé, fondu, légèrement refroidi
- Quartiers de citron, pour servir

PRÉPARATION

1. Préchauffez le four à 180 degrés Celsius.

Dans un bol à mélanger, fouetter ensemble le lait, les œufs, l'aneth, le yaourt et le paprika. Versez le mélange de lait sur les crevettes, le saumon, les pois et le fenouil dans quatre bols allant au four de 350 ml. Sur une surface de travail propre, étalez deux feuilles de filo. Badigeonner de beurre, puis froisser et déposer délicatement sur la garniture à tarte. Rep avec le reste du filo et des tartes.

3. Cuire au four pendant 30 minutes ou jusqu'à ce que la pâte soit dorée et croustillante et que les crevettes soient bien cuites. Laisser refroidir légèrement. Des quartiers de citron peuvent être servis avec les tartes.

CACCIUCCO CON POLENTA
(Ragoût de poisson à la toscane avec polenta molle)

Portions: 4

INGRÉDIENTS

- 1/4 tasse (60 ml) d'huile d'olive extra vierge
- 2 gousses d'ail, hachées finement
- 2 cuillères à soupe de feuilles de persil plat finement hachées, plus des feuilles supplémentaires à servir
- 1/4 tasse (60 ml) de vin blanc
- 2 boîtes de 400g de tomates hachées
- 1,5 L (6 tasses) de fumet de poisson

- 300g de lingue sans peau ou de filet de barramundi, désossé, coupé en morceaux de 3 cm
- 12 crevettes vertes, pelées (queues intactes), déveinées
- 8 pétoncles, les œufs enlevés
- 8 moules, ébarbées, frottées
- 8 palourdes, rincées
- 1 1/2 tasse (250 g) de polenta instantanée

PRÉPARATION

Dans une grande casserole avec couvercle, chauffer l'huile à feu moyen-vif. Cuire, en remuant constamment, pendant 1 à 2 minutes, jusqu'à ce que l'ail et le persil soient parfumés. Versez le vin et continuez à cuire encore 2-3 minutes, ou jusqu'à ce que le vin soit complètement évaporé. Porter à ébullition avec les tomates hachées et le bouillon de poisson, puis réduire à moyen-doux et cuire de 20 à 30 minutes, jusqu'à ce qu'ils soient réduits et légèrement épaissis. Cuire 1 minute après avoir ajouté le poisson et les crevettes, puis couvrir et cuire encore 1 à 2 minutes en secouant la casserole une ou deux fois, jusqu'à ce que les moules et les palourdes se soient ouvertes et que les fruits de mer soient bien cuits. Retirez la casserole du soleil.

En attendant, faites cuire la polenta selon les instructions sur l'emballage. C'est le moment de l'année.

3. Divisez la polenta en quatre tasses, versez-la sur le ragoût et couvrez de feuilles de persil.

CEVICHE DE KINGFISH ET DE CREVETTES

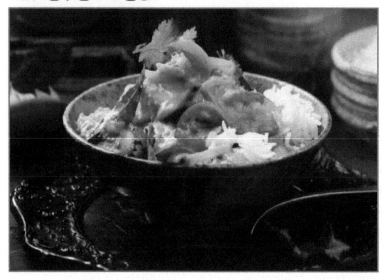

Portions: 6

INGRÉDIENTS

- 1 oignon rouge, tranché finement
- 200g de crevettes vertes pelées, déveinées
- 200g de filets de martin sans peau de qualité sashimi (voir note), désossés, coupés en morceaux de 1 cm
- 1 gousse d'ail écrasée
- 1 long piment vert, épépiné, haché finement
- 2 cuillères à soupe de coriandre finement hachée
- 1 tasse (250 ml) de jus de lime (d'environ 7 limes), plus des quartiers à servir

- 2 cuillères à soupe d'huile d'olive extra vierge
- Croûtons de pain de seigle, pour servir

PRÉPARATION

1. Faites tremper l'oignon pendant 10 minutes dans une baignoire d'eau froide. Égouttez l'eau et mettez-la de côté.

En attendant, à feu moyen-doux, porter une petite casserole d'eau à ébullition. Préparez les crevettes en les blanchissant.

Mélanger le martin, les crevettes hachées, l'ail, le piment et la coriandre dans un plat en céramique ou en verre. Assaisonner, puis incorporer 5 glaçons et suffisamment de jus de citron vert pour presque recouvrir le mélange. Appliquer un tiers de l'oignon et mélanger pour combiner; après quelques instants, le jus de citron vert devrait prendre une teinte blanchâtre. Assaisonnez le ceviche avec du sel et du poivre au goût.

4. Incorporer l'huile après avoir retiré les glaçons. Servir avec des croûtons et des quartiers de lime et garnir du reste d'oignon.

CURRY DE POISSON KERALAN

Portions: 4

INGRÉDIENTS

- 2 cuillères à soupe d'huile de tournesol
- 2 cuillères à café de panch phoran (mélange d'épices indiennes) (voir note)
- 20 feuilles de curry fraîches (voir note)
- 2 oignons, tranchés finement
- 2 cuillères à café de curcuma moulu
- 1 plume de cannelle
- 2 longs piments rouges, épépinés, hachés finement
- Morceau de gingembre de 4 cm, finement râpé
- 2 cuillères à café de cumin moulu

- 1 kg de filets de poisson blanc fermes (comme la lingue) coupés en cubes de 4 cm
- 400 ml de lait de coco
- 400g de tomates hachées
- 2 cuillères à café de purée de tamarin (voir note)
- 1 cuillère à café de sucre en poudre
- Riz basmati cuit à la vapeur, feuilles de coriandre et quartiers de lime, pour servir

PRÉPARATION

Dans une grande poêle, chauffer l'huile de tournesol à feu moyen. Cuire 1 à 2 minutes, en remuant continuellement, jusqu'à ce que le panch phoran et les feuilles de curry soient parfumés. Cuire, en remuant de temps en temps, pendant 5 à 6 minutes, ou jusqu'à ce que l'oignon soit tendre, puis ajouter le curcuma, la cannelle, le piment, le gingembre et le cumin, et cuire, en remuant constamment, pendant 1 minute ou jusqu'à ce qu'il soit parfumé.

Ajoutez le poisson en remuant doucement pour le recouvrir de sauce, puis ajoutez le lait de coco, la tomate hachée et 1/2 tasse (125 ml) d'eau. Cuire de 10 à 15 minutes ou jusqu'à ce que le poisson soit bien cuit. Assaisonner de sel de mer et de poivre fraîchement moulu après avoir incorporé la purée de tamarin et le sucre en poudre.

3.Distribuez le curry de poisson dans des bols de riz cuits à la vapeur. Servir avec des quartiers de lime et des feuilles de coriandre sur le dessus.

TACOS DE POISSON CRISPY AVEC SALSA À LA MANGUE

Portions: 10

INGRÉDIENTS

- 1/3 tasse (50 g) de farine tout usage
- 1 cuillère à café de paprika fumé (pimenton)
- 1 cuillère à café de cumin moulu
- 2 œufs légèrement battus
- 3 tasses (150 g) de chapelure panko (voir notes)
- 500g de filets à tête plate, coupés en 20 lanières
- Huile de tournesol, à frire
- 10 mini tortillas à la farine

- 1/4 de laitue iceberg, râpée
- 200g de crème sure
- Sauce piquante (comme le Tabasco) ou piment rouge long finement haché, pour servir

SAUCE À LA MANGUE

- 1 mangue, hachée
- 1 avocat, haché
- 1/2 oignon rouge, haché finement
- 2 cuillères à soupe de coriandre hachée, plus des feuilles supplémentaires pour servir
- Jus de 1 lime, plus quartiers à servir

PRÉPARATION

1.Assaisonner la farine et les épices dans un bol à mélanger. Séparez l'œuf et la chapelure en deux tasses. Le poisson doit d'abord être fariné, puis plongé dans l'œuf, puis bien enrobé de chapelure. Laisser refroidir 15 minutes.

Pour préparer la salsa à la mangue, mélanger tous les ingrédients dans un bol, assaisonner de sel et de poivre et réserver.

3. Préchauffez le four à 150 degrés Celsius. Préchauffer une grande poêle remplie d'huile ou une friteuse à 190 ° C (un cube de pain deviendra doré en 30 secondes lorsque l'huile est suffisamment chaude). Faites frire le poisson en 4 lots pendant 1 minute ou jusqu'à ce qu'il soit doré et croustillant. Égoutter sur du papier absorbant après avoir retiré avec une cuillère

à trous. Placer sur une plaque à pâtisserie et garder au chaud au four pendant que vous finissez le reste du poisson.

Pendant la cuisson du dernier lot de poisson, enveloppez les tortillas dans du papier d'aluminium et faites-les cuire à la vapeur au four.

Ajoutez de la laitue, du poisson, de la salsa à la mangue, de la crème sure, de la sauce piquante ou du chili et un supplément de coriandre aux tortillas. Servir avec des quartiers de lime sur le côté.

BROCHETTES D'ESPADON
AVEC Vinaigrette Piment D'arachide

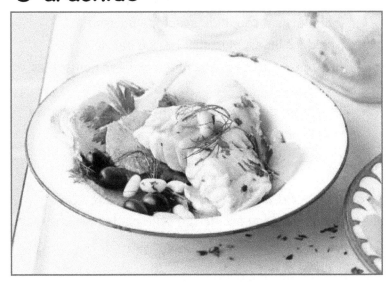

Portions: 4

INGRÉDIENTS

- 2/3 tasse (165 ml) de sauce soya
- 2 cuillères à soupe de cassonade
- 4 filets d'espadon de 200 g, coupés en morceaux de 3 cm
- Vinaigrette au piment et aux arachides
- 1/3 tasse (80 ml) d'huile d'arachide
- 8 eschalots rouges (asiatiques), hachés finement

- 2 longs piments rouges, épépinés, hachés finement
- 4 gousses d'ail, hachées finement
- Morceau de gingembre de 3 cm, râpé
- 1/3 tasse (80 g) de cassonade bien tassée
- 2 cuillères à soupe de sauce de poisson
- Jus de 2 limes, plus quartiers à servir
- 1/3 tasse (50 g) d'arachides grillées non salées, hachées
- 1/4 tasse de coriandre hachée, plus des feuilles supplémentaires pour servir

PRÉPARATION

Faites tremper 8 brochettes en bois pendant 30 minutes dans de l'eau froide (ou utilisez des brochettes en métal).

Dans un autre bol, mélanger la sauce soja et le sucre en remuant pour dissoudre le sucre, puis ajouter le poisson. Réserver 10 minutes pour mariner.

3. Faire chauffer 1 cuillère à soupe d'huile dans une poêle à feu moyen pour la vinaigrette. Cuire l'eschalot pendant 3-4 minutes, en remuant de temps en temps, jusqu'à ce qu'il soit doré. Cuire, en remuant continuellement, pendant 1 minute ou jusqu'à ce que le piment, l'ail et le gingembre soient parfumés. Cuire en remuant régulièrement pendant 2-3 minutes ou jusqu'à ce que le sucre commence à caraméliser. Retirer du feu et incorporer la sauce de poisson, le jus de lime, les noix, la coriandre, 1/4 tasse (60 ml) d'huile et 1 1/2

cuillère à soupe d'eau. Goûtez et ajustez les saveurs à votre goût; vous devriez avoir un bon mélange de saveurs sucrées, aigres, salées et piquantes. Servir dans un plat de service.

4. Préchauffer une poêle à charbon ou un barbecue à feu vif. À l'aide de brochettes trempées, enfilez le poisson sur les brochettes. Faire griller de 1 à 2 minutes sur l'une ou l'autre main ou jusqu'à ce que le tout soit carbonisé et fini.

5.Ajouter les feuilles de coriandre aux brochettes d'espadon et servir avec des quartiers de lime et une vinaigrette au piment et aux arachides.

POISSON CUIT EN POT AVEC SALADE DE FENOUIL ET D'ORANGE

Portions: 4

INGRÉDIENTS

- 4 filets de poisson blanc fermes de 180 g (comme la lingue)
- 8 brins de thym citron
- 8 brins de persil plat
- 2 cuillères à soupe d'huile d'olive
- 2 gousses d'ail
- 8 grains de poivre noir entiers
- 4 tranches de citron
- 2 cuillères à soupe de vin blanc

- 400g de haricots cannellini, rincés, égouttés
- SALADE DE FENOUIL ET D'ORANGE
- 2 petits bulbes de fenouil, tranchés finement (une mandoline est idéale), frondes réservées
- Jus de 1/2 citron
- 2 oranges, pelées et tranchées
- 1 tasse (120 g) d'olives kalamata dénoyautées
- 1/3 tasse de feuilles de persil plat
- 1/4 tasse (60 ml) d'huile d'olive extra vierge

PRÉPARATION

1.Placez 2 filets de poisson dans chaque bocal, puis répartissez le thym, le persil, l'huile d'olive, l'ail, les grains de poivre, les tranches de citron et le vin entre les bocaux. Fermez et scellez le pot après l'assaisonnement avec du sel marin.

Faites bouillir une grande casserole d'eau. Placez les bocaux dans la casserole avec précaution, en veillant à ce que l'eau remonte à mi-hauteur des côtés. Réduire le feu à moyen-doux et poursuivre la cuisson encore 20 minutes ou jusqu'à ce que le poisson soit opaque et bien cuit.

Pendant ce temps, pour la salade, mélanger tous les ingrédients dans un grand bol, assaisonner avec du sel de mer et du poivre noir fraîchement moulu et mélanger doucement pour combiner.

Retirez les bocaux de la casserole avec précaution et laissez reposer 5 minutes. Assiette la salade, les

haricots cannellini et le poisson, puis garnir avec les
feuilles de fenouil réservées.

MOQUECA (ragoût de poisson brésilien)

Portions: 6

INGRÉDIENTS

- 1 kg de filet de poisson blanc ferme sans peau (comme le vivaneau), désossé, coupé en cubes de 3 cm
- 1/3 tasse (80 ml) de jus de lime
- 1/4 tasse (60 ml) d'huile d'olive
- 1 oignon rouge, tranché finement
- 1 poivron vert, tranché finement
- 1 poivron rouge, tranché finement
- 3 gousses d'ail, hachées finement

- 2 petits piments rouges, hachés finement
- 2 tasses (500 ml) de bouillon de poisson
- 400g de tomates hachées
- 270 ml de lait de coco
- 1 cuillère à soupe d'huile de coco vierge (voir note)
- 6 grosses crevettes vertes, pelées (queues intactes), déveinées
- Feuilles de coriandre et riz cuit à la vapeur, pour servir

PRÉPARATION

Dans un grand bol en céramique, mélangez le poisson avec 2 cuillères à café de jus de citron vert et 1 cuillère à café de sel de mer. Pour mariner, refroidir pendant 30 minutes.

2.Dans une grande casserole, chauffer l'huile d'olive à feu moyen. Cuire 3 minutes ou jusqu'à ce que l'oignon soit ramolli.

3.Ajouter le poivron, l'ail et le piment, et cuire encore 5 minutes, ou jusqu'à ce que le poivron soit ramolli, en remuant de temps en temps.

Dans un grand bol, mélanger le bouillon, les tomates, le lait de coco et l'huile de coco. Porter à ébullition, puis réduire à moyen et cuire de 20 à 25 minutes, ou jusqu'à ce que le liquide ait légèrement réduit.

5.Ajoutez les crevettes, le poisson et le jus de marinade et faites cuire pendant 8 à 10 minutes supplémentaires, ou jusqu'à ce que les fruits de mer soient tout juste cuits. Assaisonner au goût avec les 2 cuillères à soupe restantes de jus de lime. Servir avec du riz et de la coriandre.

POISSON AU CITRON AVEC SALADE DE FENOUIL, PERSIL ET CAPER

Portions: 4

INGRÉDIENTS

- 1/4 tasse (60 ml) d'huile d'olive extra vierge, plus un peu plus pour arroser
- 2 gousses d'ail, hachées finement
- Zeste finement râpé de 2 citrons, plus jus de citron pour arroser
- 1 tasse (70 g) de chapelure fraîche

- 2 cuillères à café de thym citron haché ou de feuilles de thym ordinaire
- 2 cuillères à soupe de parmesan râpé
- 4 x 200g de filets de poisson blanc fermes, sans peau et désossés (comme les yeux bleus)
- 1 bulbe de fenouil
- 50g de jeunes pousses d'épinards
- 1/2 bouquet de persil plat, feuilles hachées
- 2 cuillères à soupe de câpres, rincées, égouttées

PRÉPARATION

Préchauffez le four à 190 degrés Celsius. Dans une poêle allant au four, chauffer 2 cuillères à soupe d'huile à feu doux. Cuire 2 à 3 minutes ou jusqu'à ce que l'ail et le zeste soient tendres. Cuire en remuant continuellement pendant 2 à 3 minutes ou jusqu'à ce que la chapelure soit entièrement recouverte d'huile (mais pas dorée). Assaisonner de sel et de poivre et passer dans un bol avec du thym et du parmesan.

2.Essuyez la poêle et faites chauffer 1 cuillère à soupe d'huile restante à feu moyen. Cuire 1 minute avant de garnir du mélange de chapelure (ne vous inquiétez pas si une partie tombe dans la poêle). Passer au four et cuire au four pendant 8 minutes, ou jusqu'à ce que les miettes soient dorées et que le poisson soit bien cuit.

Retirer du four, placer sur une assiette et laisser refroidir 5 minutes.

4.Préparez la salade pendant que le poisson repose. Raser finement le fenouil avec une mandoline ou un couteau bien aiguisé. Mélanger les épinards, le persil et les câpres dans un bol à mélanger. Assaisonner de sel et de poivre, puis arroser de jus de citron et d'huile supplémentaire, en remuant pour mélanger.

5.Servir le poisson avec la salade de fenouil tout de suite.

CHOWDER DE POISSONS ET DE PALOURDES

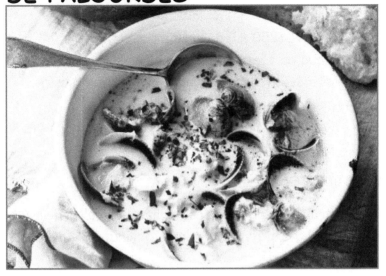

Portions: 6

INGRÉDIENTS

- 1kg de palourdes (vongole)
- 1 cuillère à soupe d'huile d'olive
- 250g de bacon, paré de graisse, coupé en bâtonnets
- 1 oignon, haché
- 2 gousses d'ail, hachées finement
- 2 cuillères à soupe de farine tout usage
- 1L (4 tasses) de fumet de poisson
- Petit bouquet de feuilles de thym, attaché avec de la ficelle de cuisine

- 1 feuille de laurier
- 500g de pommes de terre desiree, pelées, coupées en morceaux de 2-3 cm
- 1 tasse (250 ml) de lait
- 1 tasse (250 ml) de crème pure (fine)
- 500g de filets de poisson blanc sans peau, désossés (comme la lingue ou les yeux bleus), coupés en morceaux de 3 cm
- Persil plat finement haché et pain croustillant, pour servir

PRÉPARATION

Pour extraire le sable, faites tremper les palourdes dans un bol d'eau froide pendant 15 minutes. Abandonnez la méthode.

Dans une grande casserole, chauffer l'huile à feu moyen-vif. Cuire, en remuant de temps en temps, pendant 3-4 minutes, ou jusqu'à ce que le gras soit formé. Cuire encore 2-3 minutes ou jusqu'à ce que l'oignon et l'ail soient ramollis.

Incorporer la farine et fouetter pour mélanger. Incorporer le bouillon, le thym, le laurier et la pomme de terre jusqu'à ce que tout soit bien mélangé. C'est le moment de l'année. Réduire le feu à moyen-doux et cuire 20 minutes ou jusqu'à ce qu'un petit couteau bien aiguisé perce la pomme de terre presque tendre au centre.

Après cela, ajoutez le lait et la crème, puis le poisson. Réduire à feu doux et cuire 8 minutes ou jusqu'à ce que le poisson soit tout juste fini.

Égouttez les palourdes, remettez-les dans la poêle et faites cuire encore 3-4 minutes, ou jusqu'à ce que les palourdes soient complètement cuites et que les coquilles se soient ouvertes.

Assaisonner avec du poivre noir fraîchement moulu et verser la chaudrée à la louche dans des tasses chaudes. Servir avec du pain croustillant pour éponger le liquide et garnir de persil.

POISSON CUIT AVEC SALSA VERDE ET ROMARIN POMMES DE TERRE

Portions: 4

INGRÉDIENTS

- 500g de petites pommes de terre cireuses (comme Anya ou coliban), tranchées finement (une mandoline est idéale)
- 1 citron, tranché finement (une mandoline est idéale), plus 2 cuillères à café de zeste finement râpé
- 2 cuillères à soupe de romarin haché

- 3/4 tasse (185 ml) d'huile d'olive
- 1 gousse d'ail
- 1 tasse de persil plat
- 1 tasse de feuilles de basilic
- 2 cuillères à soupe de câpres, rincées, égouttées
- 4 filets de poisson blancs fermes de 180 g (comme les yeux bleus)

PRÉPARATION

. Préchauffez le four à 200 degrés Celsius.

Assaisonner la pomme de terre, les tranches de citron et le romarin avec 1/4 tasse (60 ml) d'huile, puis étaler en une seule couche dans une rôtissoire. 10 minutes au four

Pendant ce temps, coupez finement l'ail, le persil, le basilic, le zeste de citron et les câpres dans un robot culinaire pour produire de la salsa verde. Versez lentement la 1/2 tasse (125 ml) d'huile d'olive restante dans le mélange pendant que le moteur fonctionne. Supprimer de l'équation.

Retirez le poisson du four et placez-le sur le dessus de la rôtissoire, avec une tranche de citron de la poêle sur chaque filet. Assaisonner de sel et de poivre, puis cuire au four pendant 8 minutes supplémentaires ou jusqu'à ce que le poisson soit bien cuit.

Servir avec de la salsa verde arrosée sur le dessus.

SALADE ANTIPASTI AUX FRUITS DE MER

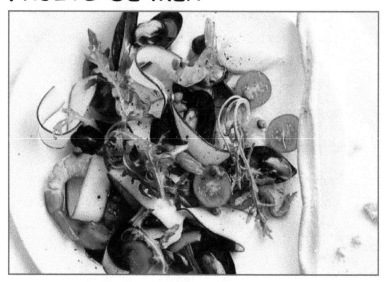

Portions: 4

INGRÉDIENTS

- 1/2 tasse (125 ml) de vin blanc
- 1 kg de moules prêtes à l'emploi
- 2 petites courgettes
- 1 tasse de feuilles de roquette sauvage
- 12 tomates cerises, coupées en deux
- 1/3 tasse (40 g) d'olives kalamata dénoyautées
- 1 cuillère à soupe de câpres, rincées, égouttées
- 12 crevettes cuites, pelées (queues intactes), déveinées

- 1/2 tasse (100 g) de lanières de poivron rouge rôti du commerce
- 4 cœurs d'artichaut en saumure, rincés, coupés en deux
- 4 grissini (gressins fins)
- Quartiers de citron, pour servir

PRÉPARATION

. Dans une grande casserole à feu vif, porter le vin à ébullition. Cuire 2 minutes, en secouant la poêle de temps en temps, après avoir inséré les moules. Toutes les moules qui se sont ouvertes doivent être transférées dans un grand bol, puis couvrir et cuire encore 1 à 2 minutes, en secouant la poêle de temps en temps, jusqu'à ce que toutes les moules se soient ouvertes. Placer les moules dans un bol et réserver.

Trancher les courgettes en longs rubans minces avec un éplucheur de légumes ou une mandoline, puis les combiner avec la roquette, les tomates, les olives et les câpres dans une tasse. Assaisonner de sel et de poivre et mélanger pour mélanger.

4 assiettes avec moules, crevettes, poivron, artichaut et salade de courgettes Servir avec des quartiers de citron et des grissini.

CONCLUSION

FOURNIT DES ACIDES GRAS OMEGA-3

L'une des principales raisons pour lesquelles le poisson est si bon pour nous est qu'il contient des niveaux élevés d'acides gras oméga-3. Dans un monde où la plupart des gens consomment beaucoup trop d'acides gras oméga-6 provenant d'huiles végétales raffinées, de vinaigrettes et d'épices transformées, il est urgent d'augmenter les aliments oméga-3.

Les acides gras oméga-3 agissent comme un contrepoids aux acides gras oméga-6 et aident à réduire l'inflammation en équilibrant les niveaux d'acides gras oméga-3 et oméga-6. Les acides gras oméga-3 sont considérés comme anti-inflammatoires, tandis que les acides gras oméga-6 sont anti-inflammatoires. Nous avons besoin des deux types, mais de nombreuses personnes manquent d'acides gras oméga-3. La consommation de niveaux plus élevés d'oméga-3 a été associée à une meilleure santé mentale, à des taux de triglycérides plus faibles, à une meilleure santé reproductive et à une meilleure fertilité, à un meilleur contrôle hormonal et à un risque plus faible de diabète.

AIDE À RÉDUIRE L'INFLAMMATION

La raison pour laquelle les oméga-3 trouvés dans les poissons sont si précieux est principalement en raison de leur capacité à combattre l'inflammation. Ils aident à contrôler les maladies inflammatoires qui mènent à de nombreuses maladies, notamment le cancer, la polyarthrite rhumatoïde et l'asthme.

Les deux types de graisses polyinsaturées décrites ci-dessus jouent un rôle important dans l'organisme et contribuent à la formation de nos hormones, de nos membranes cellulaires et de nos réponses immunitaires. Mais les acides gras oméga-3 et oméga-6 ont des effets opposés en ce qui concerne l'inflammation. En général, trop d'oméga-6 et trop peu d'oméga-3 provoquent une inflammation. On pense que l'inflammation contribue au développement de maladies chroniques comme le cancer, le diabète, les maladies cardiaques, etc.

FAVORISE LA SANTÉ CARDIAQUE

L'EPA et le DHA sont deux acides gras oméga-3 essentiels pour contrôler l'inflammation et favoriser la santé cardiaque. Des études montrent que la consommation quotidienne d'EPA et de DHA peut aider à réduire le risque de maladie cardiaque et de décès par maladie cardiaque, parfois aussi efficace que les médicaments sur ordonnance comme les statines. La combinaison de nutriments dans les fruits de mer aide également à réguler le rythme cardiaque, à abaisser la tension artérielle et le cholestérol, à réduire la formation de caillots sanguins et à réduire les triglycérides. Tous ces éléments peuvent aider à protéger contre les maladies cardiaques et les accidents vasculaires cérébraux.

PEUT AIDER À PROTÉGER CONTRE LE CANCER

La recherche montre que manger plus de poisson et de fruits de mer riches en oméga-3 profite au système immunitaire et aide à combattre le cancer en supprimant l'inflammation. Alors qu'un régime végétarien a été associé à une incidence plus faible de certains types de cancer (comme le cancer du côlon), le pescatarianisme est associé à un risque encore plus faible par rapport aux végétariens et non végétariens, selon certaines études.

Plusieurs études suggèrent également que consommer beaucoup d'acides gras oméga-3 peut aider les personnes déjà diagnostiquées avec un cancer en arrêtant la croissance tumorale. Un mode de vie pescatarian riche en oméga-3 peut également aider les personnes subissant une chimiothérapie ou d'autres traitements contre le cancer, car ils aident à maintenir la masse musculaire et à réguler les réponses inflammatoires déjà compromises chez les patients cancéreux.

DÉCLIN COGNITIF DE COMBATS

Les acides gras oméga-3 comme le DHA sont essentiels au bon développement du cerveau et au maintien des fonctions cognitives chez les personnes âgées. De nombreuses études ont montré que de faibles taux d'oméga-3 chez les personnes âgées sont liés à plusieurs marqueurs de dysfonctionnement cérébral, notamment la démence ou la maladie d'Alzheimer. Des niveaux plus faibles d'oméga-3 pendant la grossesse ont même été associés à des enfants qui ont des scores inférieurs aux tests de mémoire et des difficultés d'apprentissage.

BOOSTE L'HUMEUR

Parce qu'ils combattent le stress oxydatif, qui affecte le bon fonctionnement du cerveau, les oméga-3 du poisson et des fruits de mer ont été associés à une meilleure santé mentale et à un risque moindre de démence, de dépression, d'anxiété et de TDAH. Cela signifie qu'un régime Pescatarian peut être un remède naturel contre l'anxiété et aider à gérer les symptômes du TDAH tout en combattant les symptômes de la dépression.

SOUTIENT LA PERTE DE POIDS

De nombreuses personnes ont commencé à utiliser le régime Pescatarian pour perdre du poids, et pour une bonne raison. Une faible consommation d'acides gras oméga-3 a été associée à l'obésité et à la prise de poids. Des études montrent également que les personnes qui consomment plus d'aliments à base de plantes (y compris les végétariens) ont tendance à avoir un IMC plus bas et une meilleure gestion du poids, probablement parce qu'elles mangent plus de fibres et moins de calories.

De plus, des protéines et des graisses saines sont essentielles pour se sentir rassasié, et de nombreux nutriments contenus dans les poissons peuvent aider à réduire les fringales. Quel que soit votre régime alimentaire, visez un apport élevé en fruits, légumes, protéines de haute qualité, graisses saines, graines, noix, fibres et composés phytochimiques. Tous ces éléments peuvent vous aider à perdre du poids rapidement et à ne pas le reprendre.